STEM UIT DE DIE

Stem uit de diepte

Joan Lowery Nixon

Geïllustreerd door
Hans Parlevliet

KLUITMAN

Voor mijn tante Genevieve Meyer, with love

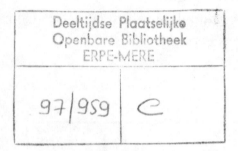

STICHTING NEDERLANDSE
KINDERJURY
1998

Omslagontwerp: Nils Swart Design/Design Team Kluitman.
Dit boek is gedrukt op chloorvrij gebleekt papier.
Nederlandse vertaling: Marjan Bentum-Keuning.

NUGI 222/G049701
© Nederlandse editie: Uitgeverij Kluitman Alkmaar B.V.
© MCMLXXXIX Joan Lowery Nixon.
Published by Delacorte Press, Bantam Doubleday Dell
Publishing Group, Inc., New York, New York, U.S.A.

PROLOOG

Ik heet Sarah Darnell en ben zestien jaar, bijna zeventien. Ik ben behoorlijk lang en heb donker, krullend haar tot over mijn schouders. Nee... Zo moet ik mijn verhaal niet beginnen. Ik moet beginnen bij het begin.

We woonden nog in Springdale, in de staat Missouri, in het zuiden van de Verenigde Staten.

Op een zaterdagochtend werd ik al vroeg gewekt door de telefoon naast mijn bed. Het was mijn beste vriendin, Marcie.

„Andy heeft net gebeld," zei ze. „We gaan met z'n allen naar het meer. Dus spring uit je bed en pak je badpak. Over een half uur halen we je op."

De zomer was dat jaar vroeg ingevallen. De lentebloemen hadden nauwelijks kans gehad om tot bloei te komen, of ze waren al verdord door de hitte. Toch kroop ik dieper onder de lakens en huiverde. „Het water is nog veel te koud," klaagde ik.

Marcie lachte en ik zag haar brede, scheve grijns voor me. „Dat valt wel mee. Kom op, joh. Andy en Barbie nemen hot dogs mee, en Kents moeder heeft een lading koekjes gebakken. Het wordt weer hartstikke leuk."

We waren al vanaf onze schooljaren een hecht groepje en hadden inderdaad altijd veel lol. „Oké, over een half uur sta ik klaar."

Ik had gelijk. Het water was zo koud, dat we naar adem snakten, toen we erin sprongen. We speelden schreeuwend in het water, tot we eraan gewend waren, waarna we om het hardst naar een oud vlot zwommen. Andy won en hij greep me bij mijn pols om me erop te helpen. „Je ziet er goed uit." Hij bleef mijn hand vasthouden. „Leuk badpak."

Ik grijnsde hem toe. Een paar jaar geleden was ik stapelgek op Andy geweest en had hem voortdurend achterna gelopen. Ik was een smoorverliefde brugklasser die diep onder de indruk was van een twee jaar oudere jongen, die zo sterk was dat hij met één hand lege blikjes platkneep.

En nu? Opnieuw een beetje verliefd worden op Andy was misschien wel spannend. Mijn wangen begonnen te gloeien en om mijn opkomende blos te verbergen, trok ik mijn hand los en nam een diepe duik in het meer. Ik gleed door het lichtgroene water en genoot. Een school vissen schoot voor me langs en ik bevond me in een schitterende, stille wereld. Totdat mijn longen om lucht schreeuwden. Ik maakte een koprol, zette me af tegen de bodem en schoot naar boven.

Op het moment dat ik het wateroppervlak bereikte, hoorde ik Kent schreeuwen 'Bommetje!', waarna hij boven op mij terechtkwam en zijn gewicht me opnieuw naar beneden drong in het ijskoude water. Mijn enkels raakten verward in de waterplanten op de bodem van het meer. Terwijl ik een helse pijn in mijn hoofd voelde en mijn longen op knappen leken te staan, worstelde ik wanhopig om los te komen.

Opeens was de pijn verdwenen en stond ik, als toeschouwer, aan de kant dit alles gade te slaan. Een aantal van mijn vrienden doken vanaf het vlot het meer in en slaagden erin mijn lichaam te bevrijden van de waterplanten. Ze legden het voorover op het vlot en Andy, die een aantal zomers als badmeester had gewerkt, pakte me bij mijn middel en trok me omhoog om het water uit mijn mond te laten lopen. Daarna rolde hij me op mijn rug, plaatste zijn mond op de mijne en begon lucht in mijn longen te blazen.

Hoewel ik het lichaam dat ik had verlaten liever niet wilde zien, kwam ik toch dichterbij, omdat ik er ook geen afscheid van kon nemen. Ik wist dat ik gestorven was en het verbaasde me dat de anderen dat niet beseften. Ik legde een hand op Andy's schouder, ook al wist ik dat hij het niet kon voelen. „Hé Andy, hou op. Het is te laat."

Marcie was helemaal over haar toeren en timmerde met haar beide vuisten op Kents borst. „Idioot! Stomme idioot die je bent!"

Kent stond te huilen. „Ik wist niet dat Sarah in het water onder mij was toen ik sprong. Eerlijk niet."

Ik wilde hem zeggen dat het zijn schuld niet was, maar dreef weg in een droom van licht en stemmen.

Toen ik mijn ogen weer opende, lag ik in een ziekenhuisbed en stonden, tot mijn verbazing, mijn ouders over me heen gebogen.

„Ik ben er nog," fluisterde ik, verrast dat ik in mijn droom hierheen was gevoerd.

Mijn ouders drukten me dicht tegen zich aan en huilden.

Later omhelsde ik Andy stevig en bedankte hem. „Je hebt mijn leven gered."

Mijn leven was alleen volkomen veranderd. Het was alsof ik me nog gedeeltelijk in een andere, vage wereld bevond. Aanvankelijk maakte het me bang, omdat ik het gevoel had dat een deel van mij buiten mezelf stond, voortdurend met me meeliep, me bekeek. Heb je je wel eens snel omgedraaid omdat je het gevoel had dat iemand naar je keek, en inderdaad iemand erop betrapt dat hij jou gadesloeg? Ik draaide me ook steeds om, maar er was nooit iemand.

Ik vertelde mijn ouders niets hierover. Ze zouden het maar raar vinden en mijn moeder zou zich zorgen over me maken. Daar kwam nog bij dat ik gewend raakte aan mijn onzichtbare schaduw. Omdat mijn angst geleidelijk aan verdween, verdween ook de schroom om over de gevolgen van mijn bijna-dood-ervaring te spreken. Het zou me heel wat ellende hebben bespaard als ik dat niet had gedaan.

Op een avond zaten we met het hele stel, Marcie, Andy, Kent en de rest, in de tuin van Marcies ouders, toen Kent een van zijn bizarre verhalen vertelde. Het was een moord-en-doodslag geval dat een vriend van een vriend volgens hem echt was overkomen. Andy probeerde Kent te overtreffen met een zogenaamd gruwelijk spookverhaal. We lagen krom van het lachen en de sfeer was zo ontspannen dat ik opeens zei: „Ik zal jullie iets vertellen, dat geen verzinsel is. Iets dat mij regelmatig overkomt." Ik vertelde hen wat voor ervaringen ik had sinds ik was teruggekeerd uit de dood.

Niemand lachte. Toen ik uitgesproken was, keken ze de andere kant op en het was duidelijk wat er in hen omging. 'Sarah doet vreemd. Ze is niet normaal.'

Ik werd vuurrood van schaamte en had wel door de grond kunnen zakken. Waarom was ik zo stom geweest

8

hun alles te vertellen?

De stilte die was gevallen, werd ten slotte door Marcie verbroken. „Sarah, ik vind het griezelig. Heb je hier wel eens met anderen over gesproken? Weten je ouders dit?"

„Nee." Tevergeefs probeerde ik te lachen. „En ik heb er spijt van dat ik het jullie wel heb verteld."

Marcie fronste haar wenkbrauwen bedenkelijk. „Volgens mij kun je dit beter niet voor je ouders verzwijgen."

Ik volgde haar raad op, in de hoop dat mijn ouders me wel zouden begrijpen.

In plaats daarvan sleepte mijn moeder me onmiddellijk mee naar dokter Clarke, onze huisarts.

Hij reageerde niet alsof ik gek was, of was geworden. „Je hoeft je helemaal geen zorgen te maken. Het is een bekend gegeven dat mensen die een bijna-dood ervaring hebben gehad, het gevoel hebben dat ze door een onzichtbare verschijning worden gevolgd of dat een deel van hun ziel, voor zover je daarin gelooft, als een soort buitenstaander boven hun hoofd zweeft en zijn eigenaar observeert. Daar is uitgebreid onderzoek naar gedaan. In een van die onderzoeken wordt gesteld dat mensen die zoiets als jij hebben meegemaakt, gevoeliger worden voor indrukken uit een andere dimensie en dat wel leuk, interessant, spannend of aangenaam vinden. Ze hebben contact met wat je zou kunnen noemen: een andere wereld."

Mijn moeder reageerde geschrokken. Dokter Clarkes woorden stelden mij ook niet bepaald gerust. „Bedoelt u contact met geesten?" vroeg ik angstig.

Hij schudde zijn hoofd. „Wat ik je probeer te vertellen, is

dat je niet de enige bent die dit soort vreemde ervaringen heeft. Ik hoopte alleen maar dat je je daardoor beter zou voelen."

Dat was niet zo. Ik wilde eigen baas zijn over wat er in mij omging en ik voelde er niets voor om een schakel te vormen tussen twee werelden. Huiverend dacht ik aan de reacties van mijn familie en vrienden.

„Wat moeten we nu doen?" vroeg mijn moeder zenuwachtig, terwijl ze mijn hand greep.

Dokter Clarke leunde voorover en gaf haar een bemoedigend klopje op haar schouder. „Maak je geen zorgen, Dorothy. Sarah zal zich na verloop van tijd weer volkomen normaal voelen. Als ze de traumatische gebeurtenis heeft verwerkt."

„Wat bedoelt u daarmee?" vroeg ik.

„Dat je het bijna-verdrinken verwerkt hebt," zei hij.

„Ik bèn bijna verdronken. Dat kan ik toch niet zomaar vergeten?"

„Verwerken," hoorde ik dokter Clarke nogmaals met klem zeggen. „Vergeten zul je het nooit."

„Denkt u dat Sarah in therapie moet?" vroeg mijn moeder.

„Nee, dat lijkt me niet nodig." Dokter Clarke glimlachte in mijn richting. „Veel plezier maken met haar vrienden en weer gaan zwemmen, dat lijkt me het beste."

Met moeite onderdrukte ik een huivering. Zwemmen? Vergeet het maar!

Tijdens de weken die volgden, gedroegen mijn ouders zich tegenover mij als vanouds, maar een enkele keer zag ik een bezorgde blik in mijn moeders ogen. Ik vroeg me af wat ze, diep in haar hart, dacht over wat zich in mijn hoofd afspeelde?

Ik wilde trouwens dat ik het zelf begreep.

Mijn vrienden voelden zich duidelijk niet op hun gemak met betrekking tot wat ik hun had verteld. Marcie was de enige die me normaal bleef behandelen. Maar als we samen televisie keken of door het winkelcentrum liepen, reageerde zelfs zij weleens gespannen. 'Is alles in orde?' vroeg ze dan. Zou ze bang zijn voor mij?

Na verloop van tijd sleten de herinneringen, en al voelde ik 'snachts nog wel eens hoe het water zich boven me sloot, waarna ik snakkend naar adem uit mijn nachtmerrie ontwaakte, de angstdromen kwamen steeds minder vaak voor.

Gaandeweg kreeg ik het gevoel dat ik weer een geheel werd, dat ik alle losse, rondzwevende delen van mezelf weer in mijn hoofd had, weer onder controle had.

Niet lang daarna maakte mijn vader promotie en hij kreeg de baan waarop hij gehoopt had, wat betekende dat hij werd overgeplaatst naar het kantoor in Houston.

„Volgende week moet ik al beginnen," zei mijn vader tegen mijn moeder. „Als jij de zaken hier nu afhandelt, ga ik daar op huizenjacht."

Even keek mijn moeder wat spijtig naar haar verzameling planten in de zonnige erker. „Oké, ik hoop dat je een mooi huis uitzoekt," zei ze.

„Beloofd," antwoordde mijn vader.

HOOFDSTUK 1

We stonden voor ons nieuwe, nog lege huis in Houston. „Ik kan het niet geloven, Frank. Deze buurt, dit huis. Het is nog mooier dan je vertelde," zei mijn moeder.

Mijn vader grinnikte opgewekt. „Wat goed dat ik het gevonden heb, hè?" Hij pakte de huissleutel uit zijn zak en zei: „De airconditioning is ingeschakeld, dus het zal binnen wel lekker koel zijn. Geef me even tijd om de gordijnen open te trekken. Als het zonlicht naar binnen valt, is het huis op z'n best voor een eerste kennismaking." Met grote passen verdween hij naar binnen.

Mijn moeders blik gleed door de straat en over de grote huizen die er stonden. Vervolgens keek ze weer naar ons eigen huis. „Zoiets had ik echt niet verwacht." Ze greep mijn hand op dezelfde manier vast als toen ik een klein meisje was en we de straat overstaken. Ik besefte dat ze nu eigenlijk steun zocht in plaats van die te geven. „Het lijkt helemaal niet op ons huis in Springdale," voegde ze eraan toe. „Dit is veel groter."

Ik wist niet goed hoe ik haar wat moed in kon spreken.

„Sarah," zei mijn moeder, „ik hoop dat het niet te moeilijk voor je is om te verhuizen."

„Hoe bedoel je?" vroeg ik haar. „Daar hebben we het toch al over gehad?"

„Jawel, maar zoiets ingrijpends, net nu je begint op te knappen van je... je problemen na je bijna..."

Ik zag hoe mijn moeder rilde.

„Het is voor mij ook moeilijk," zei ze zacht en ze kneep

me even in mijn hand. Daarna klonk haar stem luider, alsof ze had besloten om vrolijk te zijn. „Je vader heeft nu tijd genoeg gehad. Laten we maar eens gaan kijken hoe ons huis er van binnen uitziet."

Nadat ze de deur had opengegooid, stapte ze de hal in. Ik liep achter haar aan.

„Ooo!" verzuchtte mijn moeder, terwijl ze naar het hoge plafond staarde. „Wat prachtig!"

Maar ik stond als vastgenageld aan de grond en had het gevoel dat ik een koude, verstikkende nevel was binnen gezogen, die om me heen golfde en tegen mijn gezicht beukte. In mijn hoofd bonsde de echo van een schreeuw. In paniek snakte ik naar adem.

De voordeur viel met een klap achter me in het slot.

„Sarah?" vroeg mijn moeder. „Wat is er aan de hand? Je staat te trillen."

Haar woorden galmden door de lege hal en de nevel trok zich terug. Geheimzinnige flarden bleven afwachtend tegen de muren hangen.

„Het is dit huis," fluisterde ik zonder na te denken. „Voel je het niet?"

Mijn moeders ogen werden groot van angst. Met moeite wist ze haar stem in bedwang te houden. „Er is niets mis met dit huis. Wat jij denkt te voelen, is... eh..." Ze sloeg een arm om me heen en trok me troostend tegen zich aan. „Is het niet mogelijk dat je fantasie met je op de loop ging, liefje? Dat je daardoor bang werd?"

Wat ik had gevoeld, was iets heel anders dan wat ik in Springdale had ervaren. In dit huis heerste werkelijk iets afschuwelijks, dat zijn vingers naar mij had uitgestrekt en mij had aangeraakt. 'Laat me met rust!' had ik het liefst willen gillen. Maar in plaats daarvan knikte ik zo kalm als ik kon. „Je hebt gelijk. Het moet verbeelding zijn geweest."

Ze streek over mijn haar. „Sarah toch. Ik dacht dat je er overheen was."

„Dat is ook zo," probeerde ik haar te overtuigen. Op dat moment hoorde ik mijn vader de achterdeur binnenkomen en door de keuken lopen.

„Dorothy!" riep hij.

„Niets aan pap vertellen, hoor," fluisterde ik tegen mijn moeder. „Ik wil het zo gauw mogelijk vergeten."

„Weet je het zeker?" Aan haar toon kon ik horen dat zij het ook het liefst wilde vergeten.

„Absoluut."

Mijn vader kwam de hal binnenstappen. Er lag een brede grijns op zijn gezicht. Hij was duidelijk in zijn nopjes. Omdat zijn aandacht volledig uitging naar het huis, merkte hij niets aan ons. Met een vinger streek hij liefkozend over het gladde hout van het kozijn rond het hoge raam naast de voordeur.

„Hoe vinden jullie het hier?" vroeg hij, en zonder ons antwoord af te wachten, voegde hij er trots aan toe: „Het resultaat van mijn huizenjacht mag er wel zijn, hè? Dat moeten jullie toegeven."

„Het is een schitterend huis, Ron," antwoordde mijn moeder. „Ik vond het nogal wat om zo'n besluit te nemen zonder dat ik het huis zelf had gezien. Maar ik vind het echt geweldig! En dat voor die prijs."

14

De grijns op mijn vaders gezicht werd nog breder.

„Ja, zoiets kun je wel aan mij overlaten," zei hij quasi-pochend. „Evelyn Pritchard, de makelaar die me heeft geholpen bij mijn zoektocht, is trouwens onze buurvrouw. Ze wilde graag leuke buren, dus ze was heel blij dat ik het met haar rond kon maken."

Lachend zei mijn moeder: „Die makelaar van jou nam wel een risico. Voor hetzelfde geld had je een kreng van een vrouw gehad en een stelletje afschuwelijke kinderen die de buurt onveilig maakten met crossmotoren!"

Mijn vader grinnikte. „Ik heb Evelyn over jou en Sarah verteld. Ze wil jullie graag leren kennen." Ongeduldig voegde hij eraan toe: „Kom op, jullie zijn nog niet verder dan de hal gekomen. Wacht maar tot je de rest van het huis ziet."

We volgden mijn vader door de lege kamers en onze stemmen weergalmden tegen de hoge plafonds en de kale muren. Ik hoorde echter ook andere stemmen. Het huis was gevuld met gefluister, en tweemaal draaide ik me om, omdat ik dacht dat er iemand achter me stond.

Mijn ouders hoorden kennelijk niets bijzonders. Ze bespraken waar de vrieskast moest staan, en of de magnetron nu hier of toch maar daar moest komen, alsof alleen wij drieën aanwezig waren.

Ga hier weg! In mijn hoofd probeerde ik het gefluister tot zwijgen te brengen. *Het huis is nu van ons! Jullie horen hier niet. Ga weg! Laat me met rust!*

Ineens hoorde ik niets meer. De plotselinge stilte overviel me. Snel liep ik naar mijn ouders toe en probeerde me te concentreren op alles wat mijn vader ons liet zien. Hij had zijn belofte aan mijn moeder waargemaakt en een mooi huis uitgezocht. De voor- en achtertuin werden overschaduwd door hoge dennenbomen en waren bezaaid met late zomerbloemen. Het huis had veel glas, zodat het gevlekte zonlicht de hoge, ruime vertrekken binnenstroomde.

„Ze hebben de gordijnen laten hangen," zei mijn moeder, terwijl ze die betastte. „Kijk eens, ze zijn zonwerend. Dat kan een behoorlijk besparing op de air-conditioning betekenen."

Mijn vader opende een deur aan het andere eind van de keuken. „Volgens de makelaar was deze kamer van het dienstmeisje. We kunnen er een bergruimte van maken, of weten jullie iets beters?"

Mijn moeder keek naar binnen. Ik kreeg nauwelijks de kans een blik in het kamertje te werpen, omdat mijn vader zei: „Kom, jullie hebben de ouderslaapkamer nog niet gezien. Die is ook beneden en heeft zelfs een badkamer met bubbelbad."

„Niet te geloven," verzuchtte mijn moeder voor de zoveelste keer. „Hoe is het mogelijk dat het zo goedkoop was."

„De vraagprijs was inderdaad lager dan je zou verwachten voor zo'n huis," verklaarde mijn vader.

„Waarom eigenlijk?" wilde ik weten.

Hij haalde zijn schouders op. „Dat kan van alles zijn. De economie in Houston is de laatste jaren nogal ingezakt. Misschien is dat de reden. Ook heb ik begrepen dat de mensen die hier gewoond hebben, gescheiden zijn. Een

16

aannemer heeft het huis gekeurd. Volgens hem mankeert er niets aan de constructie of de fundering en verkeert het huis in prima staat. Voor het huis te koop kwam, is het dak zelfs vernieuwd en is de airconditioning geïnstalleerd." Gniffelend vervolgde mijn vader: „De eigenaren accepteerden mijn bod, hoewel het een heel stuk lager was dan de vraagprijs."

„Gelukkig voor ons," merkte mijn moeder op.

Scheiding? Mensen die zich hier ongelukkig hadden gevoeld? Misschien waren dat de signalen die ik opving. Dan had het niets met geesten uit een andere wereld te maken. Ik voelde me weer wat opgewekter. „Woonde een van hen hier nog, toen je het bezichtigde?" vroeg ik.

„Nee," antwoordde mijn vader. „Volgens Evelyn zijn ze ongeveer anderhalf jaar geleden verhuisd."

„Waarom zijn ze allebei verhuisd?"

„Ik zou het niet weten," zei mijn vader. „Misschien kleefden er te veel ongelukkige herinneringen aan het huis, en wilden ze er daarom geen van beiden blijven wonen. Hoe dan ook, wij hebben er voordeel van. Het huis stond leeg, en de eigenaren hadden er langzamerhand genoeg van dat het huis nog niet verkocht was."

„Waarom wil je dat allemaal weten?" vroeg mijn moeder aan mij.

Ik haalde mijn schouders op. „Gewoon, nieuwsgierigheid."

„Wacht maar tot je je slaapkamer ziet," zei mijn vader. „Er zijn twee grote slaapkamers boven, en een badkamer. Je hebt de hele verdieping voor jou alleen. De kamer aan de achterkant heeft zelfs een balkon en mooi uitzicht op de tuin."

Hij liep voor ons uit door de hal naar de trap. Ik bereidde me voor op iets vervelends, maar de afschuwelijke, fluisterende stemmen bleven weg.

„De tegels in de hal en de loper van de trap zien er als nieuw uit," merkte mijn moeder op.

„Die zijn ook nieuw," zei mijn vader. „Dat heeft Evelyn me verteld."

Ik streek met mijn vingertoppen over het glanzende wit van de muur. „Waarom hebben ze hier geverfd en in de andere vertrekken niet?" vroeg ik me hardop af.

„Voor zover ik het kon zien was dat niet nodig," overpeinsde mijn moeder. „Bovendien is er behang in de keuken en in de ouderslaapkamer..."

„Kom, dames," viel mijn vader haar in de rede. Hij was al halverwege de trap en popelde om verder te gaan met zijn rondleiding.

We volgden hem naar boven, naar een grote overloop waarop twee slaapkamers uitkwamen, die onderling gescheiden werden door een badkamer. Mijn vader had gelijk. Het waren twee mooie, grote kamers, maar op de drempel van de slaapkamer aan de voorkant van het huis bleef ik staan. De kille atmosfeer die deze kamer uitstraalde, was als een muur die me tegenhield. „De airconditioning maakt deze kamer nogal kil," zei ik, en ik koos de andere slaapkamer met het balkon.

„Tot uw orders," reageerde mijn vader en hij keek me met twinkelende ogen aan.

„Het is de mooiste kamer die ik ooit heb gehad." Dat was de waarheid, maar ik voelde me nog steeds niet op mijn gemak in het huis. De nevel die ik had gevoeld en de stemmen die ik had gehoord, zaten me nog steeds dwars.

Mijn ogen gleden naar de deuropening van de voorste slaapkamer en huiverend sloeg ik mijn armen om mijn borst bij de herinnering aan de kilte die ik had gevoeld.

Opeens ging de deurbel, en ik schrok op.

„Dat zullen de verhuizers zijn," zei mijn moeder en we haastten ons de trap af om ze binnen te laten.

De rest van de dag moest ik uitkijken dat ik niet tegen de meubels botste die werden binnengedragen, of over de verhuisdozen struikelde. Ik hielp mee onze spullen uit het hotel te halen, waar we hadden overnacht. Met de auto haalde ik hamburgers en ik waste het serviesgoed af dat door mijn moeder werd uitgepakt.

De verhuizers waren allang vertrokken, toen mijn moeder zich eindelijk in een stoel liet vallen. „Genoeg voor vandaag. Ik kan niet meer. Morgen is er weer een dag. Laten we even douchen en wat schoons aantrekken, dan kunnen we ergens een hapje gaan eten."

Mijn vader keek op zijn horloge. „Ik had de indruk dat Evelyn zo blij was dat we buren werden." Hij haalde zijn schouders op en voegde eraan toe: „Weet je nog, toen we in Springdale kwamen wonen? Clare kwam ons die eerste dag meteen al een stoofschotel brengen."

„Clare was een buurvrouw uit duizenden," zei mijn moeder. „Ik mis haar. Het valt niet mee om al je vrienden achter te laten," vervolgde ze.

Tot mijn verrassing zag ik tranen in haar ogen. Ineens besefte ik dat zij haar vrienden even erg zou missen als ik de mijne. Ik voelde een brok in mijn keel en probeerde de gedachte aan Marcie en Andy en alle anderen uit mijn hoofd te zetten.

Mijn vader keek me aan. „Behalve Evelyn Pritchard heb ik nog geen van de buren ontmoet, maar de eerste keer dat ik hier was, zag ik een stel jongelui op straat, die ongeveer van jouw leeftijd waren, Sarah. Ik geloof dat een van hen een dochter van Evelyn was."

Ik was zo moe dat het me niet veel kon schelen.

Zijn blik gleed van mij naar mijn moeder. „Hebben jullie ook zo'n honger? Wat wordt het? Italiaans? Mexicaans? Grill?"

„Denk je dat er een behoorlijke Chinees in de buurt te vinden is?" vroeg mijn moeder, die weer wat opkikkerde en zich uit haar stoel hees.

„Ik blijf thuis," zei ik. „Ik ben zo moe dat ik helemaal geen trek heb."

„Je moet wel wat eten," vond mijn moeder.

„Kunnen jullie niet iets voor me meenemen? Iets met garnalen, of zo? Ik wil liever mijn kleren uitpakken en mijn slaapkamer in orde maken. Als je me de doos met beddengoed aanwijst, zal ik jullie bed ook opmaken."

„Maar, Sarah..." protesteerde mijn moeder.

„Dat lijkt me een goede ruil," onderbrak mijn vader haar. „Kom, Dorothy, laten we ons gaan verkleden."

Het opmaken van de bedden was een fluitje van een cent. Op alle verhuisdozen had mijn moeder zeer efficiënt de inhoud vermeld. Bovendien had ze ervoor gezorgd dat elke doos naar de juiste kamer was gebracht. Dus was ik na het vertrek van mijn ouders in een mum klaar met het beloofde karwei, zodat ik aan mijn eigen kamer kon beginnen. Het kostte me niet veel tijd mijn kleren in de kast te hangen, de koffer weg te bergen en mijn favoriete prulletjes boven op de ladekast te zetten. Daarna pakte ik de lijstjes met foto's: Marcie samen met mij op de stoep voor onze school, Kent die achter Barbies rug gekke gezichten trok en Andy die met een strenge uitdrukking op zijn gezicht de badmeesterstoren bij het zwembad bemande. Mijn borst trok pijnlijk samen en opeens kwamen de tranen

Toen ik was uitgehuild, bleef ik verdoofd en uitgeput op mijn bed liggen, in een toestand ergens tussen slapen en wakker zijn. Ik koesterde me in de stilte die er heerste, alsof het een donzen dekbed was.

De stilte was slechts schijn. Heel zacht klonk vanuit een ander vertrek de echo van mijn tranen.

Ik hief mijn hoofd en hoorde het geluid nu duidelijker. „Mam?" riep ik. Het kon niemand anders dan mijn moeder zijn.

Mijn moeder antwoordde niet, maar het geluid hield aan. Het was duidelijk een vrouw die huilde, niet snikkend, maar met intense, wanhopige uithalen, alsof ze ten einde raad was.

Ik krabbelde overeind van het bed en ging op het geluid af, tot ik boven aan de trap stond en langs de balustrade naar beneden de hal in kon kijken.

Door het raam naast de voordeur scheen het vroege

avondlicht op de muren en zette een hoogpotig, antiek tafeltje dat ik nog nooit eerder had gezien, in een rossige gloed. Op het bovenblad zag ik een onbekende kristallen vaas met lathyrus, die was omgevallen, zodat het water op de witte, marmeren vloer drupte.

Het gehuil verstomde. Toen klonk in de stille hal opeens een hartverscheurende, gefluisterde kreet. *¡Ayúdame! ¡Ayúdame!* De wanhoop die eruit sprak, was zo groot dat ik onwillekeurig een pas naar voren deed. Mijn hart bonsde in mijn keel, toen ik me voorover boog en, scherper, naar beneden keek.

Naast de roodbruin bevlekte muur lag een grote plas bloed.

HOOFDSTUK 2

Ik was bang dat ik zou flauwvallen en sloot snel mijn ogen. Mijn adem stokte, terwijl mijn benen het bijna begaven. Ik plofte zo hard boven aan de trap neer, dat mijn ogen openvlogen. Meteen merkte ik dat het visioen, of wat het ook geweest was, verdwenen was. De pas geverfde muren glansden helder in het vriendelijke zonlicht dat naar binnen stroomde. De zijkant van de trap was dicht, er waren geen spijlen waar je doorheen kon kijken. Ik leunde er met mijn hoofd tegenaan en haalde een paar maal diep adem om tot mezelf te komen.

Het was nu wel duidelijk dat ik om de een of andere reden nog steeds contact had met een andere wereld. Waarom uitgerekend ik? „Het is niet eerlijk," mompelde ik zacht. Wat ik in Springdale had ervaren, was tenminste vreedzaam geweest, maar hier kwam ik met iets afschuwelijks in aanraking. Zou ik het aan mijn ouders vertellen?

Nee! Het antwoord op die vraag was zo indringend en zo nadrukkelijk, dat ik me even afvroeg of iemand anders het had gezegd. Ik kneep mijn ogen stijf dicht. Wat gebeurde er met me? Was ik Gekke Sarah geworden, het vreemde meisje dat in contact staat met geesten? In Springdale had mijn moeder zich vreselijke zorgen gemaakt. Hoe zou ze hierop reageren? Nee, ik kon het mijn ouders niet vertellen, tenminste niet voordat ik zelf begreep wat er aan de hand was.

De kreet die ik had gehoord, klonk nog na in mijn hoofd:

Ayúdame. Ik kende genoeg Spaans was om te weten dat het een hulpkreet was. Ik kon niet anders dan medelijden hebben met de vrouw die zo wanhopig had gehuild. Had ze ooit om hulp geroepen en had niemand haar gehoord?

Opeens werd ik getroffen door een huiveringwekkende gedachte. Misschien was de hulpkreet die ik had gehoord niet voor iemand anders bedoeld. Misschien riep ze míj om hulp!

Naast de voordeur zat een raam dat van de vloer tot het plafond reikte. Ik zag de auto van mijn ouders het tuinpad oprijden en met een scherpe bocht naar rechts de garage indraaien. Moeizaam kwam ik overeind en liep met onvaste stappen de trap af om de deur voor ze te openen. De onnatuurlijke kilte in de hal deed me huiveren. Een huis waar de zon naar binnen stroomde, en toch zo koud.

„We hebben een prima Chinees gevonden," zei mijn moeder en ze duwde me een witte papieren zak in mijn handen, waarna ze me een duwtje gaf in de richting van de keuken. Ik vroeg me af of aan me te zien was wat ik had meegemaakt. Maar mijn moeder had zoveel te vertellen, dat ze geen bijzondere aandacht aan me schonk. „Ga maar gauw eten, voordat het koud wordt," zei ze. „Je zult het vast lekker vinden."

Ik maakte een stukje van de tafel leeg, terwijl mijn moeder er vrolijk op los praatte. „We wonen in een heerlijke buurt. Vlakbij is een zwembad en er is een tennisbaan..."

Haar woorden gleden langs me heen. Ik was nog van streek door wat ik in de hal had gezien en door de kreet die ik had gehoord. Volgens dokter Clarke waren mensen

24

met een bijna-dood ervaring gevoeliger voor indrukken uit een andere wereld. Had ik daarom die hulpkreet gehoord? Maar waarom had die vrouw mij uitgekozen? Wat had ik ermee te maken?

Omdat ik uitgeput was sliep ik, ondanks de vreemde gebeurtenissen, de hele nacht door.

De volgende ochtend trok ik mijn fiets tussen de bergen dozen en kisten in de garage vandaan en vertrok voor een verkenningsritje door de omgeving. Overal waren hoge bomen en weelderige, groene gazons. In tegenstelling tot Springdale waren hier geen heuvels om met je fiets vanaf te suizen. Zou ik vanaf een hoog gebouw in het hartje van Houston zover kunnen kijken dat ik ons huis zag? Ik bleef even staan om de tranen uit mijn ogen te vegen. Ons huis stond niet langer in Springdale, maar in Houston. Langzaam reed ik terug en draaide de doodlopende straat in waaraan we nu woonden.

Een mollig meisje met licht rossig haar stond op van de schaduwrijke verandatrap van het huis naast het onze, en dat in de stijl van de 18e eeuw was gebouwd. Met één hand wuifde ze in mijn richting, terwijl ze met de andere haar rode short rechttrok. Ze droeg een paars T-shirt en haar haren waren met een vaalgroen sjaaltje naar achteren gebonden. Toen ik remde, kwam ze naar me toe lopen.

„Hoi!" riep ze. „Ik ben Dee Dee Pritchard. We zijn buren. Ik zag je wegrijden op je fiets en heb je opgewacht."

„Ik heet Sarah Darnell," antwoordde ik.

Ze giechelde. „Dat weet ik, en ook dat we even oud zijn.

Voor mijn moeder blijft nooit lang iets geheim. Heb je tijd om binnen te komen? Zin in een glas cola misschien? Dan kan ik je alles vertellen. Over school en... zeg, je gaat toch wel naar de Memorial High op school, hè?"

„Ik weet het niet." Voor Dee Dee weer verder zou ratelen, zei ik: „Ik moet mijn fiets wegzetten en mijn moeder vertellen dat ik thuis ben. Waarom ga je niet even met mij mee? Er zal wel ijs in de vrieskast zitten en frisdrank hebben we ook."

Even verscheen er een eigenaardige blik in Dee Dee's ogen. Nieuwsgierigheid? Angst? Terwijl ik hierover nadacht, zei ze langzaam: „Oké. Prima. Ik wil jullie huis wel eens van binnen zien. Het is hartstikke modern, hè? Ik bedoel, met veel ruimte en licht, zoals je in die woonbladen wel ziet." Ik vond dat ze vreemd reageerde. „Je woont toch hiernaast? Wou je zeggen dat je nog nooit in ons huis bent geweest?"

„Ja," zei ze tot mijn verbazing. „Ik ben er natuurlijk wel naartoe geslopen en heb door het raam bij de voordeur gekeken, toen..." De rest slikte ze in, waarna ze gauw op een ander onderwerp overging. „Hebben jullie een hond of een poes? Wij hebben een hond. We hebben hem vernoemd naar mijn oom Billy. Hij is vreselijk onnozel, de hond bedoel ik, niet mijn oom, en een echte lastpost. Altijd graven in de bloemperken en dat soort stomme dingen. Maar we zijn dol op hem en..."

Tegen de tijd dat Dee Dee's woordenstroom wat afnam, hadden we de voordeur bereikt. Ze zweeg en keek met grote ogen hoe ik de deur opendeed.

„Wij hebben een lapjeskat, Dinky," vertelde ik Dee Dee. „Ze logeert bij de dierenarts tijdens de verhuizing. Mijn moeder dacht dat dat prettiger voor haar zou zijn." Ik had het idee dat Dee Dee helemaal niet naar me luisterde.

Ik ging haar voor het huis in, en ze volgde me aarzelend. Eenmaal in de hal bleef ze doodstil staan, terwijl ik de deur achter ons sloot. Ik had durven zweren dat ze haar adem even inhield. Haar lichtblauwe ogen schoten onrustig heen en weer en zochten iedere centimeter van de hal af.

„Het is hier nu vrij kaal, maar mijn moeder heeft een grote plant en een enorm schilderij, en die dingen zullen het hier wel opfleuren."

Eindelijk keek Dee Dee mij rechtstreeks aan. „Ik heb wel zin in een cola," zei ze. „Waar is de keuken?"

Mijn vader was al naar kantoor, maar mijn moeder was nog thuis. Ze had jaren als juridisch secretaresse gewerkt. Nu had ze zichzelf een maand vakantie beloofd, voordat ze op zoek zou gaan naar een nieuwe baan. Ik stelde Dee Dee aan haar voor en ging op zoek naar de cola. Mijn moeder informeerde ondertussen bij Dee Dee naar de vorige bewoners van ons huis. „Holt. Zo heetten ze toch?" vroeg mijn moeder.

„Ze waren nogal op zichzelf," haastte Dee Dee zich te zeggen. „Wij hadden nauwelijks contact met ze."

„Ik was gewoon benieuwd of ze kinderen hadden en zo."

„Ze hadden een zoon." Dee Dee's stem klonk zacht, bijna fluisterend. „Ik kon niet zo goed met hem opschieten. Hij trok veel op met een jongen die een eindje verderop in de straat woont, Eric Hendrickson. Ze waren vrienden."

Ik overhandigde Dee Dee een glas cola met ijsklontjes en gebaarde naar een stoel. Ze ging ongemakkelijk op het puntje zitten en schoof voortdurend heen en weer. Ik was er echter van overtuigd dat het niet aan de stoel lag dat ze niet lekker zat.

„Je zult Eric wel gauw ontmoeten," zei Dee Dee. „Hij is gek op leuke meisjes."

„Denk je dat ik hem aardig zal vinden?"

Ze haalde haar schouders op. „Ik mag hem wel, maar hij heeft Cyndi Baker een keer laten zitten. Ze hadden afgesproken naar een feest te gaan, en ze had een nieuwe jurk gekocht..." Dee Dee raakte weer op dreef en haar zelfvertrouwen keerde terug.

„Ik ga even een paar boodschappen doen," kondigde mijn moeder aan. „Jullie vermaken je wel zonder mij, hè?"

Dee Dee sprong half op uit haar stoel. „Gaat u weg?"

Mijn moeder wierp haar een onderzoekende blik toe en groef in een stapel verfrommeld papier naar haar sleutels en portemonnee. Daarna wuifde ze even en vertrok.

Dee Dee keek mij weer aan. „Zullen we nu naar mijn huis gaan?" Op haar gezicht lag weer dezelfde eigenaardige uitdrukking als eerder.

Ik ging naast haar zitten en nam een slok van mijn cola. „We kunnen onze cola toch eerst wel opdrinken?"

„Eh... ja. Oké."

Volgens mij probeerde ze zichzelf te dwingen om opgewekt over te komen. Ze nam een forse slok, onderdrukte een boer en knipperde met haar ogen. „Hebben jullie eigenlijk huisdieren? Een hond, of een kat?"

Even was ik met stomheid geslagen door haar vraag, maar toen herinnerde ik me hoe zenuwachtig ze was geweest toen we ons huis binnengingen. Ze had op dat moment dus duidelijk helemaal niet naar me geluisterd. „We hebben een kat, die nu bij de dierenarts logeert." Geduldig herhaalde ik alles wat ik haar al eerder over Dinky had verteld.

Toen ik was uitgesproken, begon Dee Dee over Memorial High. „Er is natuurlijk een kliek die doet alsof de school van hen is. Maar dat soort lui interesseert me niet." Ze begon een grappig verhaal over een jongen op school te vertellen, maar ik liet haar woorden langs me heen glijden. De afschuwelijke ervaring van de vorige dag was geen hallucinatie geweest, en ook geen verbeelding. Er was iets aan de hand met dit huis, en Dee Dee wist wat dat was. Hoe kreeg ik haar zo ver dat ze het mij zou vertellen?

„...zei hij dat, en hij heeft nooit begrepen waarom hij straf heeft gekregen!" beëindigde Dee Dee haar verhaal lachend. Ik lachte met haar mee, hoewel ik geen flauw idee had wat de clou nu eigenlijk was.

„Wil je de rest van het huis ook zien?" vroeg ik. „Je bent hier toch nog nooit binnen geweest?"

Ze verstijfde, maar antwoordde: „Ja, waarom niet?"

Terwijl ik Dee Dee rondleidde, bleef ze voortdurend dicht in mijn buurt. Het bubbelbad in de badkamer van mijn ouders maakte geen enkele indruk. De Pritchards hadden er zelf ook een. „Dezelfde aannemer. Hij heeft alle huizen in deze straat gebouwd," vertelde Dee Dee. „Dat van ons is waarschijnlijk het grootste. Eerlijk gezegd vind ik die 18e-eeuwse stijl met die pilaren aan de voorkant nogal overdreven, maar mijn moeder vindt het prachtig en heeft het hele huis in die stijl ingericht. Het lijkt wel het decor voor 'Gejaagd door de Wind'."

Ze kletste maar door, tot we door de hal liepen en de trap opgingen. Toen zweeg ze niet alleen, maar leek zelfs haar adem in te houden. De logeerkamer stond volgepropt met onuitgepakte dozen, maar mijn kamer was redelijk op orde.

„Gelukkig," verzuchtte Dee Dee opgelucht. „Je hebt de slaapkamer aan de achterkant. Adam sliep in de andere kamer."

Ik draaide me vliegensvlug om en keek haar strak aan. „Wat bedoel je?"

Ze keek alsof ik haar betrapt had. „Niets," stamelde ze. „Ik zei maar wat. Iedereen zegt dat ik te veel praat. Dat heb je zelf vast ook wel gemerkt."

„Wie is Adam?"

Ze haalde haar schouders op. „Adam Holt."

„Ik dacht dat je hier nog nooit was geweest."

„Dat is ook zo. Maar mijn moeder heeft verteld hoe het huis er uitzag."

Ik leunde tegen de ladekast en zei: „Oké. Vertel me nu maar eens hoe Adam Holt was."

„Adam negeerde mij," zei Dee Dee. „En dat was maar goed ook." Kennelijk keek ik nogal verbaasd, want ze voegde er snel aan toe: „Als hij wilde, kon hij best wel aardig zijn. Hij had iets..." Ze aarzelde even, en zocht naar het juiste woord. „Iets verleidelijks over zich..."

30

„Verleidelijk?" vroeg ik. „Wat een rare manier om hem te beschrijven."

„Adam was raar, laten we het daar maar op houden," zei ze gedecideerd. „Hij negeerde de meeste mensen." Ze wierp een vluchtige blik op zichzelf in de spiegel boven de ladekast en voegde eraan toe: „Ik was niet de enige."

„Maar 'verleidelijk'? Wat bedoel je daar mee?"

„De meisjes vielen bij bosjes voor hem." Ze boog zich naar me toe, hoewel er niemand anders was die haar kon horen, en liet haar stem zakken. „Er ging een verhaal dat hij een meisje heeft aangerand. Dat beweerde zij tenminste, maar Adam hield vol dat ze loog."

„Werd hij opgepakt?"

„Nee. Het meisje had nogal een naam, daarom geloofde haast niemand haar." Dee Dee zweeg en keek me hulpeloos aan. „Dat is zo ongeveer alles wat ik over Adam kan vertellen."

„Leg me dan maar eens uit waarom je bang bent voor dit huis."

Haar adem stokte en ze keek me met grote ogen aan. „Dat ben ik niet," probeerde ze me te overtuigen, maar ik kon duidelijk zien dat ze niet de waarheid sprak.

„Er is iets angstaanjagends aan dit huis," zei ik bot. „Ik weet niet wat het is, maar jij weet het wel, hè?"

Dee Dee lachte nerveus. „Hoe kom je erbij?" zei ze, terwijl ze mijn blik vermeed. Toen liep ze naar de deur. „Kom op, dan kun je nog even kennismaken met mijn moeder. Ze zei dat ze om elf uur een afspraak had, dus is ze nu nog thuis."

Zwijgend volgde ik Dee Dee en deed de voordeur achter ons op slot. Tegen de tijd dat we de beide gazons waren overgestoken, was Dee Dee weer de vrolijke, spraakzame flapuit.

Ik zag meteen wat ze bedoelde met decor voor 'Gejaagd door de Wind'. In het huis van de Pritchards stonden tafeltjes, propvol geglazuurde doosjes, porseleinen vogeltjes en familieportretten. De diepblauwe gordijnen in de grote zitkamer waren versierd met smokwerk, ruches en dikke koorden. Boven de open haard hing een gigantisch schilderij van een paar uit de tijd van de Burgeroorlog.

„Familie van je?" vroeg ik.

Dee Dee schudde haar hoofd. „Mijn moeder heeft het in een antiekzaak in New Orleans opgeduikeld. Ze heeft het gekocht omdat de japon van de dame op het portret zo goed bij onze gordijnen past. En dit is Billy." Ze wees naar een oude hond die op de bank een dutje lag te doen. Voorzover ik het kon bekijken, was het niet een bepaald ras. Billy bewoog een oor, maar nam niet de moeite zijn ogen te openen.

Achter me hoorde ik voetstappen en ik draaide me om, zodat ik kennis kon maken met Dee Dee's moeder. Er kwam echter een tengere vrouw in een wit uniform op ons toelopen, die ons glimlachend toeknikte, waarna ze twee gebruikte koffiekopjes van een overladen mahoniehouten tafeltje pakte. Het verbaasde me dat ze de kopjes terug kon vinden te midden van die uitstalling.

„Lupita," zei Dee Dee, „dit is een van onze nieuwe buren, Sarah Darnell. Zij en haar ouders zijn in het huis van de familie Holt komen wonen."

Lupita's ogen werden groot en toen ze haar mond opendeed, klonk er niet veel meer dan gefluister. „Buenos Dias."

„Ik geef je geen Engelse les meer, als je het niet probeert te spreken," zei Dee Dee. „Dus... hoe zeg je dat in het Engels?"

„H...hallo, Sarah," stamelde Lupita. Ze maakte een vreselijk zenuwachtige indruk.

„Hallo, Lupita," antwoordde ik.

Terwijl Lupita haastig het vertrek verliet, zuchtte Dee Dee. „Lupita is een illegale immigrante. Mijn moeder neemt altijd illegalen in dienst, omdat die goedkoper zijn. Misschien maakt Lupita een kans als de immigratiedienst een amnestie afkondigt, maar tot die tijd moet ze voor iemand als mijn moeder werken of ze zal terug moeten naar Mexico."

„Was ze daarom zo bang voor me?"

Dee Dee wierp me een korte, scherpe blik toe. Daarna haalde ze haar schouders op. „Ik geloof niet dat ze bang voor jou was. Waar ze wel bang voor is, is om het land uitgezet te worden. Het is alweer vijf jaar geleden dat ze naar Houston kwam en pas sinds kort schrikt ze niet meer als er aangebeld wordt. Het heeft heel lang geduurd voordat ze erop vertrouwde dat de bezoekers van mijn moeder haar niet zouden verraden."

„Leer je haar Engels?"

Dee Dee grinnikte. „Ja, maar dat mag je niet verder vertellen, hoor. Als ze Engels leert, niet alleen spreken, maar ook lezen en schrijven, kan ze een veel betere baan krijgen dan dat ze hier heeft."

Ik grijnsde terug en begon Dee Dee langzamerhand aardiger te vinden.

„Kom, laten we mijn moeder zoeken," stelde ze voor.

Op dat moment kwam mevrouw Pritchard juist de kamer binnen met een attachékoffertje in haar hand. Met een stralende glimlach schudde ze me stevig de hand en hield die even vast. „Jij moet Sarah zijn. Je vader is niet voor niets trots op zo'n mooie dochter. Dat donkere haar en die prachtige bruine ogen!" Ze boog zich voorover. „Hemeltjelief, er ligt een gouden rand omheen. Wat bijzonder. Betekent dat niet dat je een speciale gave hebt? Dat je helderziend bent? Dat je dingen voelt die wij niet kunnen waarnemen?"

Er liep een rilling langs mijn rug en mijn adem stokte, maar ze leek het niet te merken.

„Ik had bij jullie langs willen komen, maar had het te druk op mijn werk. Je kent dat wel," zei ze. „Maar zodra ik tijd heb, zien jullie me verschijnen. Ik verheug me er ontzettend op je moeder te leren kennen. Ze zal het hier heerlijk vinden. Iedereen kan goed met elkaar opschieten en de hele buurt vindt het fijn dat jullie hier zijn komen wonen."

Mevrouw Pritchard gaf Dee Dee een kus en schonk mij nogmaals een stralende glimlach. Ze was een langere, slankere en zeer beschaafde uitgave van Dee Dee. Ze liep naar de deur en haar hoge hakken klikten op de marmeren tegels van de hal.

„Ik vind je moeder erg aardig," zei ik tegen Dee Dee.

„Dat vindt iedereen," antwoordde ze, terwijl ze op haar horloge keek. „Luister, ik ben hulp-badmeester in het zwembad en heb van twaalf tot twee dienst. Als je je badpak haalt, kun je met me meegaan."

Onwillekeurig huiverde ik.

„Wat is er?" vroeg Dee Dee. „Kun je niet zwemmen?"

„Ik kan heel goed zwemmen," wist ik met moeite uit te brengen.

„Je keek me anders aan alsof ik je voorstelde een nest ratelslangen te aaien."

Ik besloot open kaart te spelen tegen Dee Dee, althans over mijn tegenzin in zwemmen. „In mei ben ik verward geraakt in waterplanten op de bodem van een meer en bijna verdronken. Sinds die tijd durf ik het water niet meer in."

Hoewel mijn woorden haar kennelijk overvielen, reageerde ze heel verstandig. „Je mist een hoop lol," zei ze. „Het is trouwens ook veel beter meteen weer te gaan zwemmen en je angst onder ogen te zien. Heeft niemand je dat verteld?"

„Jawel, dat zei onze dokter ook."

„Nou, dan?"

„Ik moest... ik moest eerst een ander probleem oplossen."

De behoedzame blik in haar ogen deed me zo aan Marcie denken, dat ik ervan schrok. Ik wilde niet dat Dee Dee ook zou denken dat ik niet normaal was, dus flapte ik eruit: „Ik kan aan je gezicht precies zien wat je denkt, Dee Dee, maar je hoeft je geen zorgen te maken. Dat probleem had te maken met het feit dat ik bijna ben verdronken, bijna dood was, en... nou ja, het is een lang verhaal."

Er gleed een glimlach over Dee Dee's gezicht. „Volgens mijn vader moet ik geen poker gaan spelen, omdat iedereen zo aan mijn gezicht kan zien wat voor kaarten ik heb." Ze wierp een blik op ons huis. „Weet je wat? Als je weer wilt zwemmen, ga ik met je mee. Ik blijf vlak bij je, zodat je niet bang hoeft te zijn. Ik kan echt goed zwemmen en ben ook een goede badmeester. Een stuk beter zelfs dan die verwaande Richard Ailey, die hoofdbadmeester is." Er volgde opnieuw een uitgebreid relaas, en tegen de tijd dat ze was uitgesproken, voelden we ons weer volkomen bij elkaar op ons gemak.

We slenterden naar de voordeur en namen afscheid van elkaar. Op het moment dat Dee Dee me uitliet, zag ik achter haar een schaduw bewegen. Het was Lupita. Haar donkere ogen staarden me tegelijkertijd wanhopig en bezorgd aan. Vlug wendde ze zich af, maar ik zag dat ze heimelijk een kruis sloeg.

Wat is er aan de hand? Wat verzwijgen jullie voor me? Ik wilde die vragen wel uitschreeuwen.

„Ik moet opschieten. Richard vermoordt me als ik niet op tijd ben," was alles wat Dee Dee zei.

De deur ging achter me dicht en met tegenzin sjokte ik naar huis. Ik was bang voor wat me daar te wachten stond en hoopte heel erg dat mijn moeder thuis zou zijn.

HOOFDSTUK 3

Toen ik de voordeur sloot, voelde ik hoe het huis zich als een onbehaaglijke deken om me heen vlijde. Zenuwachtig haastte ik me naar de keuken, waar ik mijn moeder kastdeurtjes hoorde openen en sluiten. Het zonlicht stroomde door het grote raam boven het aanrecht naar binnen.

Mijn moeder richtte zich op en keek verbaasd. „Waar is Dee Dee?"

„Ze werkt elke middag een paar uur als badmeester in het zwembad." Ik neusde in de kast. „Is er iets te eten? Ik sterf van de honger."

„Wat dacht je ervan om zelf een boterham klaar te maken? Er ligt kaas en ham in de koelkast."

„Wil jij er ook een?"

„Graag. Lief van je. Geen ham voor mij, alleen kaas en sla." Ze zuchtte en liet zich in een stoel vallen. Haar kin steunde ze op haar handen. „Ik heb vandaag een van de buren in de supermarkt ontmoet. Ze heet Margaret Taylor en woont in het huis op de hoek. Gisteren zag ik haar de post uit de brievenbus halen, dus toen ik haar vandaag herkende, ben ik naar haar toe gegaan om kennis te maken."

Mijn moeders stem klonk vreemd gespannen. Ik stopte met mayonaise op mijn brood te kwakken en keek haar aan. „Was ze soms niet zo aardig?"

„Ze was heel vriendelijk, dat is het niet," antwoordde mijn moeder. „Maar ze gedroeg zich zo vreemd. Bijna alsof ze zich ergens voor schaamde."

„Waarom dan?"

„Ik zou het niet weten. We hebben maar heel kort met elkaar gepraat. Ze zei dat Evelyn Pritchard zo'n goede vriendin was, en dat iedereen in de buurt zo op haar gesteld was. Ze hoopte dat wij er net zo over zouden denken. Ik wist niet goed wat ik daarop moest antwoordden, dus heb ik maar gezegd dat ik graag met Evelyn wilde kennismaken. Maar toen ik Margaret uitnodigde voor een kopje koffie, reageerde ze zo zenuwachtig dat ze een pak cornflakes uit haar handen liet vallen. Ze stond erop dat ik eerst bij haar op bezoek zou komen, daar zou ze me wel voor bellen, en dat was het."

Ik liep langs de dozen die in de keuken stonden, ging tegenover mijn moeder zitten en greep over de tafel heen haar handen. „Mam," zei ik, „er is niets mis met Margaret hoe-ze-ook-verder-heet. Er is iets mis met dit huis."

Ze keek me verwonderd aan. „Sarah, waar heb je het over?"

„Ik wou dat ik het wist. Maar die buurvrouw is niet de enige die zich zo vreemd gedraagt. Dee Dee doet dat ook. Ze was erg nieuwsgierig hoe ons huis er van binnen uitziet, maar toen ze eenmaal binnen was, wist ze niet hoe gauw ze hier weg moest komen."

„Ik begrijp niet wat er aan de hand is," zei mijn moeder.

„Nee, maar die buurvrouw weet het wel, en Dee Dee ook." Ik leunde achterover in mijn stoel en slaakte een diepe zucht. Kon ik mijn moeder maar vertellen wat ik had meegemaakt in dit huis. „Als er iets met dit huis aan de hand is, hoe komen we daar dan achter?"

Mijn moeder schoof haar stoel naar achteren en ging staan, terwijl ze me onderzoekend aankeek. „Er is niets aan de hand met dit huis, Sarah," zei ze gedecideerd. „Het is een prachtig huis. Het mooiste waarin we ooit hebben gewoond. Laat je alsjeblieft niet meeslepen door je verbeelding, lieverd."

Toen ze zweeg, zei ik gauw: „Maak je nou geen zorgen, mam, ik ben echt wel in orde. Jij begon zelf over de vreemde manier waarop die buurvrouw zich gedroeg."

Mijn moeder kreeg een kleur. „Sorry, ik had mijn grote mond moeten houden." Ze glimlachte. „Als jij die boterhammen niet afmaakt, doe ik het."

„Nee, laat maar." Ik sprong op en begon de sla te wassen. Voor mij was het duidelijk dat ons huis in verband stond met de een of andere nare geschiedenis, en dat de mensen die daarvan wisten, het voor ons probeerden te verzwijgen. Mijn moeder wilde er misschien liever niets over horen, maar ik wilde het weten. ¡Ayúdame! Ik dacht weer aan die wanhopige, hartverscheurende kreet om hulp. Er was iets in dit huis dat wilde dat ik het te weten zou komen.

Zodra we ons brood hadden opgegeten, vroeg ik: „Kan ik je ergens mee helpen?"

Mijn moeder keek me dankbaar aan. „Wat dacht je van die kleine kamer hiernaast? Er staan allemaal lege verhuisdozen. Als je die eerst naar de garage brengt, kun je daarna dat kamertje schoonmaken. Misschien kunnen we de computer er neerzetten."

„Pap zei dat het een kamer voor een dienstmeisje was."

Mijn moeder lachte. „Een dienstmeisje past niet binnen

ons budget." Ze ging verder met het inrichten van de kasten in de keuken.

Ik bracht de grote dozen uit de voormalige dienstmeisjeskamer naar de garage. Toen ik alle rommel had verwijderd, keek ik de lege kamer peinzend rond. „Als we boekenplanken langs de muur maken en een bankje bij dat raam zetten, zou dit een schitterende bibliotheek zijn," riep ik naar mijn moeder. „Lijkt je dat niet leuk? Een eigen bibliotheek, zoals je altijd in Engelse films ziet?"

„Dat kunnen we doen," antwoordde mijn moeder vanuit de keuken. Ze pakte een oude doek en een fles schoonmaakmiddel. „Ik ga jouw badkamer een goede beurt geven. Als je me nodig hebt, ben ik boven."

Ik leunde tegen de muur van het kleine vertrek, vlak bij de deur naar de keuken. Ik probeerde me een voorstelling te maken van boekenkasten langs de muren, een gemakkelijke stoel in die hoek en misschien een schemerlamp op een bijzettafeltje. Bijvoorbeeld dat tafeltje met die kras dat mijn moeder bijna had weggegeven voor een bazaar. De denkbeeldige inrichting verdween opeens uit mijn hoofd en maakte plaats voor vage beelden.

Flauwe contouren van voorwerpen probeerden in mijn geest door te dringen, maar waren zo onduidelijk dat ik ze niet echt kon zien. De lucht in het vertrek streek zacht langs mijn gezicht en ik kreeg het gevoel dat iemand vlak bij me stond.

¡Ayúdame! De doodsnood in dat ene woord blies als een kille ademtocht tegen mijn wang.

Ik stond te trillen op mijn benen en hijgde van angst. Met

mijn handen zocht ik steun tegen de wand. Die voelde stevig en geruststellend aan. De nevel in mijn hoofd dreef weg en het was weer rustig in het vertrek. Kleine stofdeeltjes zweefden in het zonlicht dat uitbundig door het raam kon stromen, omdat daar nog geen gordijnen voor hingen.

„Wie bent u?" vroeg ik fluisterend aan de onzichtbare vrouw. „Wat wilt u?"

De kamer was leeg, alsof het visioen en de hulpkreet er niet waren geweest. Mijn angst sloeg langzaam om in woede. „Ik wil er niets mee te maken hebben! Het is niet eerlijk. Waarom doet u dit?" wilde ik weten.

Er kwam geen antwoord en eigenlijk wist ik zelf wel wat er aan de hand was. Opnieuw had ik ervaren dat de draad die me verbond met die andere wereld, niet was verbroken. Dat ik een schakel was tussen twee werelden. Moest ik dat zomaar accepteren? Had ik een keus? Wat moest ik doen?

Mijn knieën knikten en ik liet me langs de wand op de grond zakken en leunde in kleermakerszit tegen het kale hout. Was die stem verbeelding? Nee, daarvoor had hij te echt geklonken. De angstige, meelijwekkende kreten om hulp waren aan mij gericht.

Ik zuchtte en drukte mijn handen tegen mijn slapen. Het liefst wilde ik van dit alles verlost zijn. Die hartverscheurende smeekbeden kon ik echter ook niet negeren. Wie zou die arme, wanhopige vrouw dan helpen?

Ik besefte dat ik deze onzichtbare geest onmogelijk de rug kon toekeren, net zomin als ik dat zou kunnen wanneer de vrouw in levende lijve voor me had gestaan en om hulp had gesmeekt.

Welbewust nam ik het besluit. Ik legde mijn handen in mijn schoot, rechtte mijn schouders en staarde voor me uit, hopend dat de vrouw haar aanwezigheid aan me kenbaar zou maken. „Luister," zei ik, „wie u ook bent. Ik beloof dat ik zal proberen u te helpen. Maar dan moet ik weten wat er is gebeurd, en wie u bent. Als u wilt dat ik help, moet u mij ook helpen. Begrijpt u me?"

Gespannen wachtte ik af. Ik durfde nauwelijks adem te halen, maar er heerste alleen maar stilte.

Opeens klonk de deurbel en ik hoorde mijn moeder door de hal lopen om open te doen. „Sarah!" riep ze. „Dee Dee is er."

Ik kwam overeind, sloeg het stof van mijn short en keek nog eenmaal de lege, stille kamer rond. Niets. „Ik kom!" schreeuwde ik.

Dee Dee was niet alleen gekomen. Ik ging op het geluid van de stemmen af en zag een jongen die een halve kop kleiner was dan ik, naast Dee Dee staan. Ze had haar vochtige haar in een staartje gebonden en haar huid gloeide nog na van de zon bij het zwembad.

„Hoi, Sarah," zei Dee Dee. „Dit is Eric Hendrickson."

Eric bestudeerde me zo aandachtig, dat ik veelbetekenend terugstaarde, om hem duidelijk te maken dat ik daar niet van gediend was. Hij zag er niet slecht uit, maar was ook niet echt knap. De zon had zijn huid onregelmatig gebruind en zijn korte haar gebleekt. De rug van zijn neus en zijn wangen waren roodverbrand. Hij was gekleed in een wit shirt en een witte korte broek. Onder zijn arm droeg hij een tennisracket, en ik vroeg me af welke gek het in zijn hoofd haalde tijdens de warmste uren van een dag in augustus te gaan tennissen.

„Willen jullie wat drinken?" vroeg mijn moeder.

„Graag," antwoordde Eric. „Ik heb wel zin in een gin-tonic met lekker veel ijs."

„Nee," zei mijn moeder, „geen drank."

„Maar ik ben achttien," protesteerde Eric.

„Geen drank," herhaalde mijn moeder met een glimlach. „Er staat frisdrank in de koelkast. Als jullie zin hebben, schenkt Sarah wel wat in. Ik ga weer aan het werk." Ze verliet de kamer.

„Dat was reuze slim, Eric," merkte Dee Dee sarcastisch op.

„Hé, doe niet zo moeilijk, Dikkie," ruziede Eric. „Ze vroeg toch of we wat wilden drinken?"

Ik voelde me niet op mijn gemak en probeerde hen af te leiden. „Waarom blijven we hier staan? Later we gaan zitten."

Eric liet zich neerploffen in een stoel en strekte zijn gespierde benen voor zich uit. Dee Dee nestelde zich in een hoek van de bank, zo ver mogelijk bij Eric vandaan.

„Ik zag je gisteren toen jullie aan het verhuizen waren," zei Eric. „Ga je ook naar Memorial High?"

„Dat zal wel," zei ik. „Als iedereen uit deze buurt daar op school gaat."

„Sommigen gaan naar particuliere scholen, St. Agnes, St. John's of Kinkaid," vertelde Dee Dee.

„Hoe vind je het huis?" vroeg Eric aan mij. Hij had zo'n

onschuldige blik in zijn ogen, dat ik onmiddellijk argwaan kreeg. Ik kreeg het gevoel dat hij ook iets wist dat ik niet mocht weten.

Dee Dee keek hem woedend aan. „Wat een stomme vraag. Laten we het liever over films hebben. Heeft een van jullie die nieuwe griezelfilm al gezien? Die zich af-speelt op een kerkhof?"

„Het is helemaal geen stomme vraag. Ik ben werkelijk benieuwd wat Sarah van het huis vindt." Uitdagend keek Eric Dee Dee aan. Rond zijn mond speelde een glimlachje. „Waarom wil je niet dat we over het huis praten, Dee Dee?"

Even meende ik dat zijn vraag eigenlijk voor mij bedoeld was, maar zijn blik was op Dee Dee gericht.

Haar gezicht werd rood van kwaadheid. „Jij ook altijd met je akelige gevoel voor humor!" snauwde ze. „Ik heb je toch verteld wat Sarah over het huis zei. Doe toch niet zo achterbaks, Eric!"

Ik begreep niet waarover ze zich zo opwond. Als Eric antwoord van mij verwachtte, zou ik hem dat geven, maar ik zou er een beetje omheen draaien. Ik wilde alleen dat Dee Dee hem niet verteld had wat ik over het huis had ge-zegd. „Mijn moeder vindt het hier heerlijk," zei ik. „Ik was juist bezig de kamer van het dienstmeisje op te ruimen. Daar willen we misschien een bibliotheek van maken."

Opgelucht greep Dee Dee de kans aan het gesprek in een andere richting te sturen. „Een bibliotheek! Je wilt toch niet zeggen dat je van lezen houdt, hè?"

„Jawel, ik ben gek op lezen."

44

„Geweldig, ik ook," was haar reactie. „Wat voor boeken heb je?"

„Je mag helpen ze uit te pakken," zei ik, „en lenen wat je wilt." Ineens waren mijn gedachten weer bij de vrouw die me in het Spaans om hulp had gesmeekt. Zou ik van Dee Dee of Eric misschien wat meer te weten kunnen komen? „Sprak er iemand Spaans bij de familie Holt?"

Dee Dee schrok op. „Adam heeft op school vast wel wat Spaans geleerd. Wij allemaal, trouwens. Waarom wil je dat in vredesnaam weten?"

„Was er soms een Spaans sprekend dienstmeisje? Jij woont hiernaast. Dan zou je dat moeten weten."

„Een dienstmeisje?" Ze haalde haar schouders op. „Ik heb geen flauw idee. Wij spraken Adam en zijn ouders eigenlijk nooit, dat heb ik je al verteld. Kunnen we het nu over iets anders hebben?"

„Als er hier een dienstmeisje was, had je haar toch zien rondlopen?"

„Dat hoeft niet," antwoordde Dee Dee ongeduldig. „Niet als ze een inwonend dienstmeisje hadden, dat een illegale buitenlandse was, zoals Lupita, en niet opgemerkt wilde worden. Neem nou mevrouw Taylor, die in het hoekhuis woont, zij had al een jaar lang een inwonend dienstmeisje voor ik het merkte, en die was niet eens illegaal. En ik weet nog goed dat..."

Ik onderbrak de woordenstroom. „Weet je zeker dat er niemand hier in huis Spaans sprak?"

Eric keek me met een vreemde blik in zijn ogen aan. „Ik geloof dat de familie Holt zo nu en dan een illegale in dienst hebben gehad, maar voor zover ik weet, werkte er niemand bij hen toen... toen ze verhuisden."

Dee Dee haalde haar schouders op. „Eric kan het weten. Hij is waarschijnlijk de enige in de straat die ooit bij de Holts binnen is geweest, en zelfs dat niet vaak, omdat mevrouw Holt niet wilde dat Adam rommel maakte. Daarom had Adam maar weinig vrienden."

„Je hoeft niet te doen alsof dat voorbij is," snauwde Eric. „Adam en ik zijn nog steeds vrienden."

„Mijn vader zei dat de Holts gescheiden zijn," vertelde ik. „Woont Adam nog in Houston?"

Dee Dee schoof heen en weer op de bank, maar Eric zei: „Hij moest bij zijn moeder in Californië gaan wonen."

„Waar in Californië?"

„Een kleine stad, eh... Cedar Creek." Hij fronste zijn voorhoofd. „Wat maakt dat nou uit?"

Ik boog me naar voren. „Vertel eens wat over de Holts. Wat voor een familie was het?"

Dee Dee strengelde haar vingers in elkaar. „De Holts zijn verleden tijd. Er zijn veel interessantere onderwerpen te bedenken."

Eric bestudeerde mijn gezicht. „Vanwaar al die vragen, Sarah? En waarom denk je dat er iemand Spaans sprak?"

Ik peinsde er niet over te vertellen wat ik in huis had meegemaakt. Haastig zocht ik naar een antwoord. „Ik ben gewoon nieuwsgierig, omdat wij nu in het huis van de Holts wonen. En Dee Dee's ouders hebben een Spaans-sprekend dienstmeisje, dus vroeg ik me af of de Holts er ook een in dienst hebben gehad." Het klonk niet erg overtuigend,

46

zelfs niet in mijn eigen oren.

Dee Dee keek met een hulpeloze blik naar Eric. Toen hij haar negeerde, sprong ze overeind en kondigde aan: „Ik moet nu echt gaan. Vanavond moet ik baby-sitten en ik wil mijn haar nog wassen, en zo."

Misschien kon Eric me vertellen wat ik wilde weten. „Eric, jij hoeft toch nog niet weg, hè?" Op hetzelfde moment wilde ik dat ik mijn woorden nog kon inslikken. Nu leek het net of ik achter Eric aan zat. Ik voelde mezelf blozen.

Dee Dee keek enigszins verbaasd, maar Eric ging met een zelfvoldane uitdrukking op zijn gezicht staan. „Het spijt me dat ik je moet teleurstellen, Sarah, maar ik ben niet geïnteresseerd in meisjes die langer zijn dan ik."

Ik kon het niet helpen dat ik in de lach schoot. Eric keek me kwaad aan.

„Sorry," mompelde ik. „Zo bedoelde ik het niet."

Mijn excuus hielp niet. Hij bleef nijdig kijken. Maar voor hij bij de deur was, was hij blijkbaar alweer bijgedraaid, want hij zei: „Ik ken wel een jongen die misschien belangstelling heeft. Hij is lang en vindt lange meisjes leuk."

Dee Dee keek Eric doordringend aan. „Wie is dat dan?"

„Hij heet Anthony, maar we noemen hem Tony. Tony Harris." Eric grinnikte. „Je kent hem niet."

„Gaat hij ook naar Memorial High?" vroeg Dee Dee geïnteresseerd.

„Nee, hij woont in het westen van de stad. Dat gaat je trouwens geen steek aan. Hij valt heus niet op zo iemand als jij."

„Wat ben je toch een vervelende klier," zei Dee Dee.

„En jij bent een trut."

Om een verdere scheldpartij te voorkomen, duwde ik Dee Dee in de richting van de deur. „Heb je een fiets?" vroeg ik.

Dee Dee knikte.

„Misschien kun je me morgenochtend een rondleiding geven in de buurt," stelde ik voor.

„Oké," zei Dee Dee. Ze keek me wat ongelukkig aan, alsof er van alles in haar omging dat ze me wilde vertellen, maar niet wist hoe ze dat aan moest pakken.

Eric glipte langs ons door de deuropening. „Ik neem nog wel contact met je op over Tony," zei hij tegen mij. Er lag een spottende uitdrukking op zijn gezicht. Ik had het gevoel dat hij weer iets wist wat ik niet wist, en dat beviel me niet.

Dee Dee keek hem na, en toen hij buiten gehoorsafstand was, zei ze: „Sarah, ik vind je aardig. Ik hoop dat we vrienden zullen worden. En ik kan er ook niets aan doen. Ik bedoel, ik hoop dat je het begrijpt. Bovendien doet het er niets toe, omdat..."

Ik legde mijn hand op haar arm. „Waar heb je het over, Dee Dee?"

Ze keek even naar de grond. Toen keek ze me met haar lichtblauwe ogen aan. „Trek je niets aan van mijn geratel. Maar alsjeblieft, beloof me dat je ophoudt over de Holts."

„Als je dat zo vervelend vindt," zei ik langzaam.

„Ja, ik vind het erg vervelend." Ze liep achteruit in de richting van het gazon. „Tot morgen dan maar. Oké?"

Ik glimlachte tegen haar. „Prima. Tot morgen." Terwijl ik de deur dichtdeed, leek het alsof het huis een zucht van verlichting slaakte.

Een paar uur later kwam mijn vader thuis. Zijn gezicht zag grauw toen hij mijn moeder en mij vroeg naar de kamer te komen. „Ga zitten," zei hij. „Ik moet jullie iets vertellen."

„Je baan!" riep mijn moeder uit, terwijl ze zich langzaam in een stoel liet zakken. „Je hebt net promotie gekregen. Ze hebben toch niet..."

Mijn vader schudde ongeduldig zijn hoofd. „Nee, Dorothy, het heeft niets met mijn werk te maken. Er is iets anders, en ik weet niet in hoeverre het een probleem is."

Hij wierp een korte, nerveuze blik in mijn richting, voordat hij zich weer tot mijn moeder wendde. „Ik heb het gevoel dat ik in de maling ben genomen. Wettelijk valt die vrouw niets te verwijten. Maar in de menselijke sfeer zit ze goed fout. Dat neem ik haar erg kwalijk."

„Ron!" riep mijn moeder uit. „Ik begrijp er niets van. Waar heb je het over?"

Mijn vader slaakte een diepe zucht. „Ik probeer voor mezelf een excuus te vinden," zei hij, „maar goed." Hij ging op het puntje van de bank zitten en boog zich naar mijn moeder en mij toe. „Evelyn Pritchard heeft me niet eerlijk verteld waarom het huis niet eerder is verkocht en waarom de prijs zo laag was. Dat heb ik vandaag ontdekt, toen een van de secretaresses op kantoor ons adres herkende." Mijn vaders blik gleed in de richting van de hal. „Ongeveer twee jaar geleden is in dit huis een moord gepleegd..."

HOOFDSTUK 4

Opeens begreep ik hoe het mogelijk was dat ik het bloed op de tegels had gezien en de kreet om hulp had gehoord. In dit huis was iets afgrijselijks gebeurd en de naweeën ervan waren mijn geest binnengedrongen. Maar de moord zelf? Ik huiverde en wreef over mijn armen in een poging de kilte te verdrijven. Waarom moest ik erbij betrokken worden?

Verontwaardigd keek mijn moeder mijn vader aan. „Evelyn Pritchard had je moeten vertellen over die moord, Ron." Ze stond op uit de stoel en begon door het vertrek te ijsberen. „Ik vond het al zo raar dat Margaret maar door bleef gaan over hoe geweldig Evelyn Pritchard is. Ze wilde me waarschijnlijk gewoon laten weten dat ze achter haar staat!"

„Mijn vader keek even naar de vloer. „Als je alles van te voren weet... Uit eigenbelang hebben de buren ons niets verteld, want als zo'n huis als dit lang leegstaat, vermindert dat de waarde van alle huizen in de straat."

Mijn moeder zuchtte. „Ik begrijp wel dat ze zo redeneren, maar het is niet erg netjes naar ons toe." Ze greep mijn vaders hand en vroeg: „O, Ron, wat moeten we doen?"

Mijn vader zuchtte nu ook. „Ik heb al een advocaat geraadpleegd. Evelyn Pritchard staat wettelijk gesproken in haar recht. Het enige wat we kunnen doen, is het huis verkopen." En hij voegde eraan toe: „Als we daarvoor kiezen."

„Als?" vroeg mijn moeder.

„We moeten de feiten onder ogen zien, Dorothy. Besef je wel hoe lang het huis heeft leeggestaan, voordat wij het hebben gekocht? We kunnen het ons niet permitteren een ander huis te huren of te kopen, zolang we dit huis niet hebben verkocht. En als we eventuele kopers vertellen hoe de vork in de steel zit..." Hij zweeg even en zei toen zacht: „Dat kunnen we niet verzwijgen. We kunnen niet hetzelfde doen als Evelyn Pritchard."

„Nee," gaf mijn moeder toe. „Je hebt gelijk."

Ze keken beiden in mijn richting, alsof ze tegelijkertijd werden getroffen door dezelfde gedachte.

„Sarah," begon mijn moeder, „toen je hier voor het eerst binnenkwam, voelde je je niet op je gemak. Hoe kwam dat? Je hebt toch niet..." Ze slaakte een diepe zucht en probeerde kalm te blijven. „Je hebt dat vreemde gevoel toch niet weer gehad, hè?"

„Nee, hoor. Helemaal niet." Wat moest ik anders zeggen? Mijn vader had net uitgelegd dat we het ons niet konden permitteren ergens anders te gaan wonen voor dit huis was verkocht. Ze keken me beiden met onderzoekende blikken aan en verwachtten zo te zien iets meer van mij. Zorgvuldig probeerde ik mijn woorden te kiezen. „Is het jullie nooit overkomen dat je bij mensen binnenkwam die net ruzie hadden gehad? De spanning is dan bijna voelbaar. Iets dergelijks voelde ik; beter kan ik het niet omschrijven."

Mijn moeder keek zo weifelend, dat ik glimlachte en eraan toevoegde: „Weet je nog dat we bij je nicht Linda en haar man op bezoek gingen? Later zei je dat je meteen toen

51

je binnenkwam, voelde dat ze een vreselijke ruzie hadden gehad. Je zei dat het in de lucht hing."

„Dat is iets anders," probeerde mijn moeder te weerleggen.

Ik glimlachte verontschuldigend en haalde mijn schouders op.

Mijn moeder wendde zich weer tot mijn vader. „Weet je zeker dat je de koop niet ongedaan kunt maken?"

„Ja, dat gaat helaas niet." Met een ongelukkig gezicht ging hij verder: „Ik weet dat het stom van me was dit huis te kopen. Toen ik het voor zo'n lage prijs kon krijgen, was ik zo trots op mezelf. Ik had natuurlijk moeten uitzoeken waarom er niet meer voor werd gevraagd."

Mijn moeder zuchtte. „Ik was het er meteen mee eens toen je belde."

Mijn ouders keken zo ongelukkig, dat ik me schuldig voelde. Als ze zich niet zoveel zorgen om mij maakten... Ik probeerde zo zakelijk mogelijk over te komen en zei: „Een huis wordt nooit afgebroken omdat er iemand is vermoord. Zo'n huis wordt verkocht en door nieuwe eigenaren bewoond."

Verbaasd keken ze me aan, en ik vervolgde mijn pleidooi. „Dit is het mooiste huis waarin we ooit hebben gewoond. Laten we er gewoon van genieten. Die moord is verleden tijd. Mam, jij voelde niets bijzonders in dit huis. Pap ook niet. Pas nu jullie weten dat er een moord is gepleegd, voelen jullie je hier niet prettig. Waarom is dat eigenlijk?"

„Tja..." Mijn moeder aarzelde. „Als je weet dat..."

„Misschien heeft Sarah wel gelijk," reageerde mijn vader. Hij begon er zowaar wat opgewekter uit te zien.

„Wat is er precies gebeurd?" wilde ik weten. „De mensen die je over de moord hebben verteld, kenden vast het hele verhaal."

„Weet je zeker dat je de hele geschiedenis wilt horen?" Mijn vaders gezicht betrok weer.

„Ja," zei ik. „Vroeg of laat krijgen we het toch wel te horen."

Mijn vader keek naar mijn moeder en zei: „Ik herinner me dat het in Missouri ook in de krant heeft gestaan, maar ik heb er niet veel aandacht aan geschonken. Dus zeiden de naam Holt en het adres me niets, toen ik het huis kocht."

„Heb je de Holts ontmoet toen je het koopcontract tekende?" vroeg mijn moeder.

„Alleen Martin Holt. Een vriendelijke man, maar zijn naam zei me niets."

„Wie is er hier vermoord?" fluisterde mijn moeder. „Zijn zoon?"

„Nee, die was het niet." Mijn vader rechtte zijn schouders en vervolgde: „Een vrouw die aan de Fair Oaks Drive woont, heeft op de dag van de moord een Italiaan gebeld om een pizza te bestellen. Dat was rond één uur in de middag. Later heeft ze een paar maal gebeld om haar beklag te doen dat de pizza niet was bezorgd. Het meisje dat de pizza's bezorgde, kwam niet terug naar het restaurant voor de volgende bestelling, dus is de chef rond half drie naar haar op zoek gegaan. De jongen die de telefonische bestelling had aangenomen, had op het bestelformulier iets gekrabbeld dat op Fair Oaks Lane leek, in plaats van Fair Oaks Drive."

„Fair Oaks Lane. Dat is onze straat," merkte mijn moeder op.

Mijn vader vervolgde na een korte knik zijn verhaal. „De chef vond de bestelwagen van Pizza Expres een eindje verderop in een zijstraat. Omdat er van het meisje geen spoor te bekennen was, belde hij de politie. Tijdens hun onderzoek gingen ze ook naar dit adres in Fair Oaks Lane. Er was niemand thuis, maar de deur van onze, eh... de garage stond open, en ze zagen een verfrommelde doos van Pizza Expres liggen met de pizza er nog in. Er zaten bloedvlekken op de doos."

Mijn moeder huiverde en sloeg haar armen om zich heen alsof ze het koud had. „Let maar niet op mij," zei ze toen mijn vader zweeg. „Vertel maar verder."

„De politiemensen ter plaatse namen contact op met het hoofdbureau voor een huiszoekingsbevel," vertelde mijn vader ons. „In de tussentijd arriveerden nog meer politieagenten en een filmploeg van een televisiestation. Ook kwamen verschillende buren poolshoogte nemen. Op dat moment kwam Adam Holt, de zoon van de Holts, de straat inrijden. Toen hij de auto's en de mensen bij zijn huis zag staan, keerde hij de auto en probeerde te vluchten. Maar een van de buren had hem opgemerkt en de politieagenten gewaarschuwd. Dus zetten die de achtervolging in en een paar straten verderop konden ze hem aanhouden." Mijn vader zuchtte diep.

„Adam Holt bekende meteen dat hij het meisje had vermoord en vertelde de politie dat hij haar lichaam in een bos in de buurt had begraven. Het was inmiddels al donker geworden, waarop men besloot de zoektocht tot de volgende dag uit te stellen. De politie nam Adam mee naar het bureau, waar hij werd vastgezet."

„Gelukkig maar dat ze hem te pakken hebben gekregen," zei mijn moeder.

„Dat is nog niet alles," vervolgde mijn vader zijn verhaal. „Toen rechercheurs met het huiszoekingsbevel bij het huis van de Holts kwamen, waren de ouders van Adam inmiddels thuisgekomen. De twee agenten die de wacht hielden bij hun huis, lieten hen er niet in. Ze hoorden natuurlijk meteen waarvan hun zoon werd verdacht en dat ze hun huis niet in konden totdat de recherche klaar was met haar onderzoek. Al snel zagen ze..."

„Het bloed op de muur en de vloer van de hal," viel ik mijn vader in de rede.

Mijn vader keek me verbaasd aan. „Hoe kun jij weten dat daar bloed lag?"

„O, dat leek me wel logisch," antwoordde ik snel.

Mijn vader schudde zin hoofd. „Voorzover ik weet, zat er geen bloed op de muur of de vloer. Alleen op de bekleding van de trap vond de politie bloedvlekken."

„Vertel verder, pap."

„Meneer Holt nam onmiddellijk een advocaat in de arm om zijn zoon bij te staan."

„Hoe oud was Adam Holt?" vroeg ik.

„Pas zeventien," antwoordde mijn vader.

„Waarom heeft hij dat meisje eigenlijk vermoord?"

„Uit wat hij de politie aanvankelijk vertelde, bleek dat hij de pizzabezorgster wilde dwingen het huis binnen te komen. Ze verzette zich hevig, waarop hij haar heeft neergestoken."

„Zomaar? Wat afschuwelijk!" Ik bedacht even dat ik er ook wel eens aan gedacht had om als pizzabezorger te gaan werken. „Ik hoop dat hij levenslang heeft gekregen."

„Hij zit niet in de gevangenis," zei mijn vader. „Zijn advocaat heeft hem ervan weerhouden zijn bekentenis schriftelijk te herhalen, of op band te laten opnemen. En in de staat Texas is een mondelinge bekentenis die niet op band is vastgelegd, of is gedaan zonder dat er iemand anders dan politiemensen ervan getuige is, niet toegestaan als bewijs. Toen Adam Holt terechtstond, accepteerde de rechter zijn bekentenis, ondanks de wet, wel als bewijs. De jury verklaarde Adam schuldig aan moord met voorbedachte rade. Zijn advocaat ging echter in beroep en het vonnis werd door de hogere rechtbank vernietigd. Ook al omdat het lichaam van het meisje niet was gevonden. Adam is vrijgesproken wegens gebrek aan bewijs."

„Maar dat bloed op de trap! De pizzadoos in de garage! Was dat niet genoeg bewijs?" vroeg mijn moeder.

„Nee, kennelijk niet. Bovendien heeft niemand hem ten tijde van het misdrijf gezien. Adam Holts verklaring was dat hij griep had en door een allergische reactie op zijn medicijnen niet meer wist wat hij had gedaan of waar hij was geweest op het moment van de moord. Zonder getuigen kon de officier van justitie de zaak niet rond krijgen."

„Wat belachelijk!" riep ik uit.

„Zo is de wet in Texas nu eenmaal," zei mijn vader. „Het is de enige Amerikaanse staat waar een mondelinge bekentenis die niet op de band is opgenomen, wordt geweigerd als bewijs."

„Hebben ze het lichaam van dat meisje ooit nog gevonden?" vroeg ik.

„Nee. Een pompbediende zag toevallig een foto van Adam op het nieuws van tien uur 's avonds en herinnerde zich dat hij hem eerder die dag als klant had gehad. In de buurt van het benzinestation was een weinig gebruikt bospad, dat door de regen van de dagen daarvoor nogal modderig was. Adams auto zat onder de modder, waardoor de pompbediende vermoedde dat Adam het bos in was geweest. Dus belde hij de politie. Zodra het de volgende ochtend licht was, doorzocht de politie de omgeving maar kon het lichaam van het vermoorde meisje niet vinden. En Adam wilde verder niets zeggen."

„In televisieseries lijkt het allemaal zo gemakkelijk," zei mijn moeder. „Daar slepen ze altijd de verkeerde persoon voor het gerecht. De advocaat komt op het laatste moment met een luciferdoosje of een oorbel op de proppen en zegt tegen de echte dader: 'U bent de moordenaar!' Die wordt dan gearresteerd en de onschuldige komt weer vrij."

„Ja, in het echt is het een stuk ingewikkelder," stemde mijn vader met haar in.

„Toch vind ik het eigenaardig dat Adam de moord bekent en vervolgens liegt over de plaats waar hij het lichaam heeft begraven," zei ik.

„Misschien had hij spijt van zijn bekentenis," suggereerde mijn vader.

Mijn moeder keek me aan. „Ik maak me zorgen over de uitwerking die dit huis op Sarah zal hebben."

Ik lachte, al was het wat onzeker. „Herinner je je dat ouderwetse hotel in Colorado waar we twee jaar geleden op vakantie zijn geweest? De directeur vertelde ons over de schietpartijen en moorden die in de tijd van het Wilde Westen in de lobby en de saloon van het hotel hadden plaats gevonden. Dat was voor ons alleen maar een interessant verhaal uit de geschiedenis en we deden er geen oog minder om dicht."

„Lieverd, dat was wat anders."

„Niet echt, mam. Die cowboys en revolverhelden waren mensen van vlees en bloed. Zij wilden ook niet sterven."

Ik stond op en liep naar het raam. De hitte van de zon deed de lucht boven de straat en het trottoir trillen, maar in huis was het koud, veel te koud. „De schaduw die me in Springdale volgde, is verdwenen, mam. Dat weet je."

„Tja..." Mijn moeder aarzelde.

„Dorothy, luister nu naar Sarah. Wat in dit huis is gebeurd, behoort tot het verleden," zei mijn vader. Met een berustende blik keek hij rond. Zacht voegde hij eraan toe: „Eerlijk gezegd, zie ik op dit moment ook geen andere mogelijkheid."

Mijn moeder dacht even na en zei toen: „Ik wil alleen wat het beste voor Sarah is, dus moet zij maar beslissen."

De lucht trilde. Ik had opeens het gevoel dat ik in een andere tijd terecht was gekomen en haalde diep adem. Uit de keuken dreef de prikkelende geur van kruidnagels de kamer in en de gordijnen verspreidden een muffe rookgeur. Door het raam zag ik lange schaduwen die zich uitstrekten over het hoge gras van een onverzorgd gazon. Ik werd me bewust van de aanwezigheid van een vrouw en rook de warme geur van haar huid. In mijn hoofd klonk haar stem, die me in doodsangst smeekte.

¡Ayúdame! ¡Por Favor!

Wie bent u? vroeg ik zonder de woorden uit te spreken.

Het antwoord dat ik kreeg, kon ik niet verstaan.

Ik versta u niet. U moet me helpen.

Er klonk een woord in mijn gedachten, uitgesproken door een stem die schor klonk van de tranen.

Muerte.

Muerte? Dat woord kende ik. Dood. Mijn adem stokte, toen ik besefte wat dit betekende. *Bent u degene die hier is vermoord?*

Haar tranen waren zo echt, dat ik het vocht tegen mijn wang voelde.

Ayúdame, fluisterde ze opnieuw.

„Sarah?" vroeg mijn moeder. „Heb je gehoord wat ik zei? Is er iets met je?"

Ik sloot mijn ogen en dwong mezelf terug te keren naar het heden. Toen ik ze opende, zag de kamer er weer normaal uit, maar de echo van de stem klonk nog na in mijn hoofd.

„Wat is er?"

„Ik... ik voelde me even een beetje duizelig. Het is al over," zei ik tegen mijn moeder. Hoewel ik bang was voor de vrouw die tegen me had gesproken, had ik tegelijkertijd het gevoel dat ik haar moest geruststellen. Ze had haar smeekbeden tot mij gericht en ik kon haar niet in de steek laten. Ik had beloofd haar te helpen en een schakel te vormen tussen haar wereld en de mijne. Ik wilde dat ik wist hoe ze er uitzag.

„Ben je echt wel in orde?" drong mijn moeder aan.

„Ja, hoor."

Mijn vader boog zich naar me toe vanaf het randje van de bank. „Jij mag het zeggen, Sarah. Wat wil jij?"

„Ik wil hier blijven wonen, hier, in dit huis," zei ik. De lucht die mijn wang beroerde, was als de zachte aanraking van een warme hand.

„Wat mij betreft, hebben we ons besluit dan genomen. We blijven," zei mijn moeder tegen mijn vader.

Hij leunde achterover en slaakte een zucht van verlichting.

We schrokken alle drie toen de telefoon ging. „Ik neem hem wel," bood ik aan.

„Hoi, Sarah," hoorde ik Eric zeggen. „Ik heb het met die jongen over je gehad."

„Welke jongen?" Mijn gedachten waren nog bij wat mij net was overkomen, en ik begreep niet meteen wat Eric bedoelde.

„Tony Harris. Weet je nog? De lange jongen die lange meisjes wel ziet zitten." Erics stem kreeg een eigenaardige klank, alsof hij me stiekem zat uit te lachen. „Tony wil je leren kennen."

„Ik geloof dat we beter even kunnen wachten," stamelde

ik. „We zijn nog maar net verhuisd en ik wil hier eerst wennen, voordat ik met een jongen uitga."

Mijn moeder, die een tijdschrift had gepakt en deed alsof ze erin las, keek op. Haar lippen vormden de woorden: „Wie is dat?"

„Ben je er nog?" vroeg Eric. „Heb je wel gehoord wat ik zei?"

„Sorry." Ik draaide mijn moeder de rug toe. „Ik werd even afgeleid door mijn moeder. Wat zei je precies?"

„Ik zei dat Tony een geweldig Mexicaans restaurant weet en of je zin hebt hem daar te ontmoeten en met hem te gaan eten. Als je tenminste niet al hebt gegeten."

„Waarom kan die Tony niet hier naartoe komen?"

„Het restaurant is in het westen van de stad. Het zou nogal overdreven zijn als Tony helemaal hierheen moet rijden om jou te halen en vervolgens dat hele stuk weer terug moet, vind je niet?"

Ik had mijn antwoord al klaar. „Mijn ouders vinden het niet goed als ik met een jongen uitga, die ze niet kennen."

„Er is geen sprake van echt uitgaan," zei Eric. „Bovendien ben ik er toch bij. Ik kom wel naar jou toe, om je netjes af te halen." Zijn stem kreeg een wat spottende klank. „Als ze zo bezorgd zijn over hun lieve dochtertje, mogen ze zelfs wel kennismaken met mijn ouders."

Ik bloosde en wist niet of het van kwaadheid was of omdat ik me opgelaten voelde. „Laat maar zitten!" snauwde ik.

Nu was het Erics beurt zich opgelaten te voelen. „Hé, sorry hoor. Ik maakte maar een geintje."

„Ik vond het niet grappig."

Eric ging er niet op in. „Ik ben zo bij je. Omdat ik wist dat je Tony wilde leren kennen, heb ik al een afspraak met hem gemaakt. Hij was van plan nog een paar boodschappen te doen, dus kan ik hem niet meer bereiken, maar hij heeft beloofd in het restaurant op ons te wachten. Ga je mee Sarah, alsjeblieft?"

Met tegenzin gaf ik toe. „Oké, ik zie je zo wel verschijnen."

„Tof!" reageerde Eric enthousiast. „Binnen vijf minuten ben ik bij je." Hij verbrak de verbinding.

Ik keek mijn moeder aan. Voor ze iets kon vragen, zei ik: „Dat was Eric Hendrickson. Hij heeft me uitgenodigd voor een etentje in een Mexicaans restaurant samen met een vriend van hem die me wil leren kennen."

Mijn moeder had zo haar twijfels. „Eric? Is dat die jongen die vanmiddag om een gin-tonic vroeg?"

Mijn vader keek haar vragend aan, dus legde ze het hem uit.

„Ik denk dat hij een beetje stoer probeerde te doen, om indruk op Sarah te maken," zei mijn vader met een glimlach. „Ik weet nog precies hoe het is om achttien te zijn."

De deurbel klonk en ik haastte me naar de deur om open te doen. Ik ging Eric voor naar de kamer. Hij gedroeg zich zeer beleefd en vriendelijk. Ik zag dat mijn moeders twijfels als sneeuw voor de zon verdwenen.

„Ik zal goed op Sarah passen en ervoor zorgen dat ze op tijd thuis is," zei Eric op zo'n ernstige toon, dat ik bijna mijn tong had uitgestoken.

Mijn moeder keek echter opgewekt en zei tegen mij: „Leuk van Eric dat hij je met zijn vriend wil laten kennismaken. Op die manier leer je wat andere jongelui in Houston kennen."

Ik kon geen goed excuus verzinnen om alsnog te weigeren, dus ging ik naar boven om me te verkleden.

Met een haarborstel in mijn hand stond ik voor de spiegel in de slaapkamer, toen ik de lucht tegen mijn nek voelde trillen. Ik legde de borstel neer en draaide me langzaam om. „Niet doen!" mompelde ik zuchtend. „Niet nu! Ga weg!" Ik probeerde me het weinige Spaans dat ik kende, te herinneren en kwam op het juiste woord: „¡Váyase!"

Er volgde een gespannen stilte, alsof iemand zijn adem inhield. Omdat ik me een beetje schuldig voelde, fluisterde ik ten slotte: „Ik begrijp nog niet wat u van me wilt, maar ik zal mijn best doen erachter te komen. U heeft mijn belofte dat ik u zal helpen, maar u moet me niet steeds achtervolgen. Oké?"

Er kwam geen antwoord, maar ik voelde de ijzige kilte van iemands angst.

HOOFDSTUK 5

„Sarah! Waar blijf je nou?" riep Eric van onder aan de trap. De spanning in mijn kamer spatte uiteen.

„Ik kom al!" schreeuwde ik terug. Snel borstelde ik mijn haar en rende de trap af.

Eric reed in een witte BMW, waarover hij me tot in het kleinste detail alle bijzonderheden uit de doeken deed, terwijl ik probeerde op de juiste ogenblikken een instemmend gemompel te laten horen. Het onderwerp interesseerde me niet zo. Plotseling vroeg hij: „Waarom zei je tegen Dee Dee dat jullie huis je bang maakt?"

„Ik heb gezegd dat het huis iets angstaanjagends had. Meer niet," antwoordde ik rustig.

„Het woord dat Dee Dee gebruikte, was bang." Hij wierp een snelle blik op mij, terwijl er lachrimpeltjes bij zijn ooghoeken verschenen, alsof hij me stiekem zat uit te lachen. Daarna richtte hij zijn blik weer op de weg. „Vroeg of laat zul je wel merken dat Dee Dee altijd haar mond voorbijpraat. Als je haar iets vertelt, weet de volgende dag de hele buurt het."

„Schei nu maar uit je achter mijn rug om vrolijk te maken," zei ik scherp. „Van de moord weten we inmiddels alles."

De auto maakte onverwacht een slinger en de chauffeur van de wagen in de rijstrook naast ons claxonneerde.

Voor Eric iets kon zeggen, vervolgde ik: „Het is al erg genoeg dat Dee Dee's moeder tegenover mijn vader heeft gezwegen over de moord, maar hoe zit het met de rest van de buurt? Waarom hebben bijvoorbeeld jouw ouders niets aan mijn vader verteld, voordat hij het huis kocht?"

Hij was duidelijk in verlegenheid gebracht. „Wat hadden we moeten doen? Een groot bord in de voortuin zetten? 'In dit huis is een moord gepleegd'? Míjn ouders en alle andere mensen in de straat waren in ieder geval blij toen het huis was verkocht."

„Zou jij in een huis willen wonen, waar een moord is gepleegd?"

Eric haalde zijn schouders op. „Waarom niet? Waar maak je je zo druk om? Je gelooft toch niet in geesten, wel?"

„Laten we het maar over iets anders hebben," stelde ik voor. „Vertel me eens wat over school."

Dat deed hij de rest van de rit naar het restaurant.

Tony Harris stond al op ons te wachten. Toen we het restaurant binnen waren gegaan en in het heldere licht van een kroonluchter stonden, stapte hij glimlachend uit de schaduw naar voren. Hij keurde Eric geen blik waardig. Zijn heldere blauwe ogen hielden mijn blik vast en mijn adem stokte.

Tony leek ouder dan Eric. Hij was lang, bijna een halve kop groter dan ik, met brede schouders en een slank lichaam. Zijn haar en zijn snor waren donkerbruin.

„Hallo, Sarah," zei hij met een warme, diepe stem. Opeens begreep ik hoe iemand op slag verliefd kan worden en hoe opwindend dat is.

Ik deed een pas in zijn richting, niet in staat mijn blik los te maken van de zijne, gebiologeerd als ik was door zijn ogen en zijn stem.

Tony was niet echt knap. Hij zag er eigenlijk heel gewoon uit, maar achter zijn glimlach ging iets aparts, iets opwindends schuil en zijn blik was zo indringend dat de rillingen over mijn rug liepen. Toen hij me zijn hand toestak, legde ik als vanzelf mijn hand in de zijne.

„Kom op, makker," zei Eric, terwijl hij Tony een klap op de schouder gaf. „Ik sterf van de honger. Sarah en jij kunnen elkaar tijdens het eten wel beter leren kennen."

Zonder mijn hand los te laten, wendde Tony zich tot een serveerster die ons onze plaats wees. De betovering was nog niet verbroken. Ik voelde me tot Tony aangetrokken en verlangde ernaar opnieuw in zijn ogen te kijken. Het verraste me. Zoiets had ik nog nooit voor iemand gevoeld. Voor Andy? Nee, ik kon me Andy's gezicht nauwelijks meer voor de geest halen.

We werden naar een tafeltje in een knusse nis gebracht. Eric schoof me naar binnen en nam naast me plaats. Tony ging tegenover me zitten.

Terwijl we aten, vertelde Eric trots over de flauwe grappen die hij met nietsvermoedende vrienden had uitgehaald. Het waren achterbakse, pijnlijke grappen. Ik kreeg een steeds grotere hekel aan Eric en wilde dat hij zijn mond hield. Mijn interesse ging uit naar Tony, die aandachtig naar Eric zat te luisteren. Dat gaf mij de kans hem te bestuderen, zonder dat hij het merkte. Ik genoot van zijn glimlach en de manier waarop hij zijn hoofd in zijn nek gooide als hij lachte.

Tony was zo te zien een rustige jongen. Hij was een beetje een eenling, vertelde hij me toen Eric hem eindelijk de kans gaf. We spraken over boeken. Allebei hielden we van geschiedenis en thrillers. Daardoor voelde ik me nog meer tot Tony aangetrokken. Ik wilde alles over hem te weten te komen.

Toen hij over de tafel reikte om de kom salsasaus te pakken, schoof de mouw van zijn shirt omhoog langs zijn pols, en ik zag een onregelmatige plek ter grootte van een gulden.

Tony merkte dat ik naar zijn pols keek en trok de boord omlaag. Dat verbaasde me. Hij leek me niet het type dat zich schaamt voor iets dat leek op een moedervlek.

Eric sloeg opeens de rest van zijn ijsthee achterover en keek me met zo'n achterbaks lachje aan, dat ik meteen gealarmeerd was.

„Wat is er aan de hand?" vroeg ik, maar Eric keek snel van me weg en ging staan.

„Ik moet nog het een en ander doen," zei hij.

Met tegenzin begon ik aanstalten te maken met hem mee te gaan, maar Tony stak zijn arm over de tafel en legde zijn hand stevig op mijn arm. „Blijf nog even," drong hij aan. „Ik breng je wel thuis."

„Dat is een prima idee. Waarom doe je dat niet?" vroeg Eric. Zijn gezicht stond volkomen ernstig, maar in zijn ogen glom weer dat eigenaardige lachje. Probeerde hij misschien een van zijn snertgrappen met me uit te halen? Ik wist niet hoe ik moest reageren.

„Ik moet nog bij een vriend langs en het zou me heel goed uitkomen als Tony je naar huis brengt," zei Eric.

„Je hebt mijn moeder toch beloofd..." begon ik, maar Eric

was al halverwege de uitgang. Verward stamelde ik tegen Tony: „Ik... ik moet op tijd thuis zijn." Mijn adem stokte en ik begreep mijn gevoelens voor hem niet. Het beangstigde me een beetje. Ik wist vrijwel niets van Tony, maar als hij naar me glimlachte, leek al het andere ineens onbelangrijk.

Een gehaaste serveerster smeet de rekening op onze tafel. Tony haalde zijn portefeuille tevoorschijn en betaalde. Hij zette zijn lange benen naast de tafel, ging staan en stak zijn hand naar me uit. „Dan breng ik je nu toch naar huis," zei hij.

Zijn zwarte sportwagen met donker getinte ruiten en een glanzend dashboard rook nieuw. Tony draaide aan de radio tot hij een station naar zijn zin had gevonden. Terwijl we naar het noorden reden, klonk de muziek zacht door de auto. „Heb je al veel van Houston gezien?" vroeg hij.

„Nog bijna niets," antwoordde ik.

Tony wierp me een zijdelingse blik toe en glimlachte. „Dat kan wel verholpen worden."

Ik voelde me smelten bij die glimlach en deed mijn uiterste best het hoofd koel te houden. Dus zei ik het eerste dat in me opkwam. „Vertel eens wat over jezelf. Waar ken je Eric van?"

„We hebben bij elkaar op school gezeten."

„Maar je bent ouder dan hij."

„Iets meer dan een jaar." Hij grijnsde. „Die snor maakt me ouder en belangrijker."

Ik lachte met hem mee. „Studeer je?"

„Op dit moment niet, maar misschien ga ik binnenkort beginnen."

68

„Wat wil je gaan doen?"

„Ik denk erover rechten te gaan studeren, zodat ik advocaat kan worden."

We draaiden linksaf een brede straat in met aan weerskanten bomen en Tony pakte mijn hand. Een warm gevoel trok door mijn lichaam. Ik was blij dat het donker was, zodat Tony de blos op mijn wangen niet kon zien.

„Nu is het mijn beurt om vragen te stellen," zei Tony. „Eric vertelde me dat iets in jullie huis je bang heeft gemaakt. Hoe zit dat precies?"

Ik wierp hem een snelle blik toe, maar hij keek recht voor zich uit en wachtte op mijn antwoord. Ik herinnerde me hoe mijn vrienden in Springdale hadden gereageerd toen ik hen vertelde dat ik door een geest werd gevolgd. Daarom peinsde ik er niet over Tony te vertellen wat ik had gezien en gehoord. „Het... het was eigenlijk niets bijzonders," zei ik toch nog aarzelend. „Het was gewoon een... een gevoel dat ik had toen ik het huis de eerste keer binnenging."

„Wat voor gevoel?"

„Dat is moeilijk te beschrijven."

We moesten stoppen voor een verkeerslicht. Tony keek mij aan. Zijn ogen boorden zich in de mijne. „Probeer het."

Ik huiverde en Tony stelde onmiddellijk de openingen van de airconditioning bij. „Sorry," zei hij. „Je kreeg de volle laag. Zo beter?"

„Ja." Ik zweeg even. „Ik begrijp niet goed wat je van me wilt horen, en waarom."

Hij glimlachte ongedwongen. We reden weer, en hij had

zijn aandacht bij het verkeer. „Gewoon nieuwsgierigheid," antwoordde hij. „Jouw reactie op het huis was nogal ongewoon, als ik Eric mag geloven."

„Ik had niets tegen Dee Dee moeten zeggen. Ze heeft de hele zaak opgeblazen."

„Weet je wat er in dat huis is gebeurd?"

„Ja. Een moord." Ik huiverde opnieuw, en deze keer was de airconditioning zeker niet de oorzaak. „Laten we het over iets anders hebben."

„Vind je het verhaal van die moord niet interessant?"

„Interessant? Nee! Ik wil er het liefst helemaal niet aan denken."

„Ik kende Adam. Heeft Eric je dat verteld?"

„Ja. Eric zegt dat hij nog steeds contact heeft met Adam."

„Omdat hij geloofde dat Adam zich niets meer kon herinneren door een allergische reactie. Lang niet iedereen accepteerde die verklaring."

Ik keek hem onderzoekend aan. „Geloof jij Adam?"

„Waarom zou ik hem niet geloven?"

Zo langzamerhand voelde ik me slecht op mijn gemak door het gesprek. „Ik wil niet langer over Adam Holt praten."

Hij wierp een snelle blik in mijn richting. Toen keek hij weer voor zich, zodat ik de uitdrukking op zijn gezicht niet kon zien. „Volgens Eric had je anders heel wat vragen."

„Ja, maar..."

„Zo wilde je weten of er iemand in het huis Spaans sprak. Wat een eigenaardige vraag. Waarom wilde je dat weten?"

„Doet dat er iets toe?"

„Nee. Het leek me alleen wat vreemd dat je ernaar vroeg. Als iets aan het huis je dwarszit en je wilt erover praten, zal ik je niet afschepen. Ik zal luisteren. Ik luister naar alles wat je te zeggen hebt, Sarah."

Tony's stem klonk warm en geruststellend, waardoor ik me begon te ontspannen. Maar ik was vastbesloten niet aan Tony te vertellen wat ik gehoord en gezien had. Dan was de kans groot dat hij me ook als 'Gekke Sarah' zou zien. Ik wilde niet dat Tony zo over me zou denken.

„Bedankt," probeerde ik zo luchtig mogelijk te zeggen. „Maar ik kan je echt niets vertellen. Laten we over iets anders praten. Het doet er niet toe wat."

„Doet het er niet toe?" Er lag een ondeugende glans in zijn ogen. „Oké. Ik weet wel een ander onderwerp." Hij pakte mijn hand weer beet en zijn duim streelde over de rug van mijn hand. „Ben je weleens verliefd geweest, Sarah?"

Van mijn stuk gebracht, stotterde ik: „Eh... nee." Mijn hand tintelde en ik haalde moeizaam adem. „Niet echt."

Opnieuw stonden we voor een stoplicht en Tony draaide zijn hoofd glimlachend in mijn richting. „Heb je je nooit afgevraagd hoe dat zou zijn?"

Ik schoof een stukje in zijn richting, alsof mijn lichaam een eigen wil had en als een magneet door Tony werd aangetrokken. Geschrokken door mijn eigen reactie, duwde ik mijn rug stevig tegen de leuning van de stoel en probeerde zo beslist mogelijk te zeggen: „Ik ken je pas sinds vanavond."

„In een paar uur kan er veel gebeuren." Zijn stem klonk warm en diep, net als toen hij mijn naam voor het eerst had uitgesproken.

Er liep een rilling langs mijn rug. „Alsjeblieft, Tony, niet zo snel."

Tot mijn verbazing merkte ik dat we onze straat al insloegen. Ik had geen enkele aandacht aan de omgeving geschonken. Ik trok mijn hand uit de zijne. „Ga je even mee naar binnen om kennis te maken met mijn ouders?"

„Dat zou ik ontzettend leuk vinden," zei Tony. „Maar het zal moeten wachten tot de volgende keer. Ik heb mijn moeder beloofd haar om half tien op te halen." Hij keek op het dashboardklokje. „Ik ben bang dat ik al aan de late kant ben."

„Mijn ouders zullen je graag leren kennen, zeker nu jij me hebt thuisgebracht in plaats van Eric."

Tony leunde in mijn richting en streelde zacht met een vinger over mijn wang en mijn lippen. Bevend hield ik mijn adem in onder zijn indringende, intense blik. Hij ging rechtop zitten en glimlachte. „De volgende keer kom ik kennismaken met je ouders, goed?"

Kennelijk verwachtte hij dat ik zou uitstappen en was hij zich niet bewust van het effect dat hij op mij had. Daar was ik blij om. Ik wist me, eerlijk gezegd, geen raad met de heftige gevoelens die Tony bij me opriep.

„B...bedankt voor het etentje. Ik... ik vond het erg leuk," zei ik nog steeds stotterend. Met tegenzin stapte ik uit de auto.

Terwijl ik naar de voordeur liep, riep Tony me na: „Ik zal

je gauw bellen. Eric heeft me je nummer gegeven."

Ik wuifde nog snel, waarna ik me omdraaide en haastig de deur opende. Hoe graag ik ook wilde dat hij me zou bellen, ik wilde niet dat hij dat aan mijn gezicht kon zien. Het was alsof ik zijn vinger nog over mijn wang voelde strelen.

Eenmaal binnen in de hal, hoorde ik gefluister, en ik had het gevoel dat de lucht leefde. De trap kraakte zonder dat ik er een stap op gezet had, en ik liep snel naar de huiskamer, waar mijn ouders zaten.

Zoals ik verwacht had, wilden ze precies weten wie Tony was.

Mijn moeder deed de televisie uit en trok haar schoenen weer aan. „Hij had toch wel even binnen kunnen komen," mopperde ze.

„Tony moest zijn moeder ergens ophalen en was al aan de late kant," verdedigde ik hem.

„We willen graag weten met wie je op stap gaat," hield mijn moeder vol. „Trouwens, Eric had toch beloofd je thuis te brengen?"

De afkeurende toon in haar stem zat me dwars. „Jullie zullen Tony binnenkort wel leren kennen. Hij heeft beloofd me te bellen. Je vindt hem vast aardig. Hij is... hij is geweldig." Onwillekeurig begon ik te blozen, en tot mijn grote opluchting begon mijn moeder te lachen.

„Toen ik zo oud was als jij," vertelde ze, „was ik stapelverliefd op een jongen bij me in de klas, en telkens als hij in mijn richting keek, moest ik blozen."

Dit was geen gewone verliefdheid. Wat ik voor Tony

voelde, was heel wat anders. Het was opwindend en fantastisch, maar tegelijkertijd ook eng. Ik wilde het diep in mezelf koesteren, het met niemand delen.

„Kom, het is een vermoeiende dag geweest," zei mijn vader. Hij ging staan en rekte zich uit. „Ik ga vandaag maar eens vroeg naar bed."

Mijn moeder liep naar hem toe. Ze sloeg een arm om zijn middel en zei: „Het kost altijd wat tijd om aan een nieuwe omgeving en andere mensen te wennen, hè?" Ze legde haar hoofd op zijn schouder. „Mis je het kantoor in Missouri erg?"

In haar stem klonk zoveel weemoed, dat hij haar dicht tegen zich aan trok. „Een verhuizing brengt nu eenmaal veranderingen met zich mee. Op kantoor is iedereen heel vriendelijk. Nou ja, bijna iedereen." Hij glimlachte. „Lastige collega's heb je op elk kantoor. Dat brengt wat leven in de brouwerij." Het was even stil, voordat mijn vader weer verder ging: „Je hebt toch geen spijt van de verhuizing, hè?"

„Ik heb wel een paar traantjes gelaten," gaf mijn moeder toe. Ze richtte zich op en keek hem liefdevol aan. „Maar je weet dat ik me niet zo snel laat kisten. Zodra het huis op orde is, ga ik op zoek naar een baan." Ze liep naar de keuken. „Ik ga controleren of de deuren op slot zijn," kondigde ze aan, zoals ze dat al jaren deed.

Mijn vader knipte de leeslamp naast zijn stoel uit en liep naar de hal, waar hij bleef staan. „Kom je, Sarah?"

Opeens schoot me een vraag te binnen. „Pap, dat meisje dat is vermoord, weet jíj hoe ze heette?"

74

Hij slaakte een zucht. „Laten we daar nu niet weer over beginnen."

„Dat hoeft ook niet," zei ik snel. „Ik wil alleen maar weten wat haar naam was."

Fronsend probeerde hij het zich te herinneren. „Ze heette Darlene. Darlene nog wat. Even denken... Garwood? Nee, het was wel zoiets, maar het klonk vloeiender. Garwood, Garlin. Ah, ik heb het... Darlene Garland."

„Weet je dat zeker? Die naam past niet bij iemand die alleen maar Spaans sprak."

„Ik begrijp niet hoe je erbij komt dat ze alleen Spaans sprak. Om een baan te hebben als pizzabezorgster moest ze wel Engels kunnen spreken. Zeker in deze buurt waar de meeste mensen Engelstalig zijn."

Mijn vader keek me bevreemd aan, dus zei ik maar gauw: „Ik zal wel in de war zijn met iets anders. Er was vandaag zoveel om over na te denken."

„Ja," was hij het met me eens. „Dat kun je wel zeggen." Hij sloeg zijn arm om me heen en gaf me een kus op mijn voorhoofd. „Ik ben trots op je, Sarah. Ik weet niet wat we hadden moeten doen, als jij te bang was geweest om hier te wonen. Door jouw houding ben je er zelfs in geslaagd je moeder gerust te stellen."

Terwijl ik hem een stevige knuffel gaf, wilde ik dat ik hem kon vertellen over het bloed dat ik in de hal had gezien, en over de stem van de vrouw die me om hulp had gevraagd.

Mijn moeder kwam uit de keuken en kuste me welterusten.

Langzaam beklom ik de trap, terwijl ik in gedachten alles op een rijtje probeerde te zetten.

Wie was de vrouw? Had ze mijn hulp echt nodig? Of had het onheil in het huis kwade demonen opgeroepen, die zich in een valse gedaante vertoonden? Gespannen knipte ik de lamp in mijn slaapkamer aan, voor ik het licht in de hal uitschakelde.

Met trillende handen sloot ik de deur van mijn kamer en leunde er tegenaan. Ik wachtte tot de stem zich weer zou laten horen.

HOOFDSTUK 6

De stem liet zich echter niet dwingen, ook al gebruikte ik al mijn wilskracht. Ik besefte dat ze niet zou verschijnen en ging naar bed. Mijn gedachten gleden naar Tony, en toen ik in slaap viel, glipte zijn beeld mee in mijn dromen.

Toen smalle strepen zonlicht door de lamellen stroomden, werd ik wakker, met een zacht gefluister in mijn oren. *Trate de encontrarlo.*

Ik ging rechtop zitten en zwaaide mijn benen over de rand van het bed. „Trate de encontrarlo?" herhaalde ik hardop. „Wat betekent dat?" Waren de woorden voortgebracht in mijn dromen?

In de stilte die volgde, was er opeens het vederlichte geluid van adem, die meteen daarna werd ingehouden. Ik drukte mijn armen tegen mijn borst om mijn gebibber te onderdrukken. „Bent u het?" fluisterde ik.

Er kwam geen antwoord.

Opeens wilde ik zo gauw mogelijk weg van wie het ook was. Snel viste ik een velletje papier en een pen uit een la en schreef de woorden op, zodat ik ze niet kon vergeten.

In een mum van tijd had ik een korte broek en een T-shirt aangetrokken en was ik de trap afgerend.

Mijn moeder zat op haar hurken in de keuken, nog steeds bezig de kasten in te richten. Verbaasd keek ze op. „Je bent buiten adem."

„Dat zal wel van de honger komen," antwoordde ik en ik gaf haar een kus boven op haar hoofd.

„Neem maar wat cornflakes," zei ze. „De kommen staan

in die rechterkast."

Terwijl ik melk over de cornflakes schonk, vroeg ik: „Mam, hebben we een Spaans-Engels woordenboek?"

Ze wierp me een verwonderde blik toe. „Nee. Heb je dat dan nodig?"

Gebogen over mijn kom cornflakes, mompelde ik: „Ik wil een paar dingen opzoeken. Het wordt tijd dat ik mijn Spaans weer wat ophaal."

„Waarom koop je er niet een? Er zijn verscheidene boekhandels in de buurt."

„Ja, dat is een goed idee." Ik keek toe hoe ze met veel gerammel een stapel pannen in de kast zette. „Kan ik je ergens mee helpen?"

„De komende uren niet," antwoordde mijn moeder. „Eerst wil ik wat orde in de chaos scheppen, daarna heb ik genoeg karweitjes voor je."

De winkels waren nog niet open, maar ik wilde het huis even uit, weg van de stem die me achtervolgde. „Ik rij even een blokje om op de fiets. Over een kwartiertje ben ik weer terug."

Het was al heet buiten. Toen ik met mijn fiets aan de hand de garage uitliep, had ik het gevoel dat ik een sauna binnenkwam. Mijn huid voelde ineens klam aan en mijn haren plakten in mijn nek.

„Wacht even!" Dee Dee rende op blote voeten over het gazon in de richting van de straat.

Ik stopte bij de stoeprand en steunde er met een voet op. „Je bent er vroeg bij."

Ze grinnikte. Ze droeg een verschoten T-shirt dat haar

enkele maten te groot was en waarin ze waarschijnlijk had geslapen. Haar haar zat in de war en ze zag eruit als een ondeugend meisje van twaalf. „Ik ben altijd vroeg op. Hoe was je afspraakje gisteravond? Was het een leuke jongen? Je moet me alles vertellen."

„De communicatie in deze straat is verbijsterend," antwoordde ik droog.

Ze giechelde. „Ik was nieuwsgierig naar die jongen over wie Eric je gisteren vertelde. Eric had het nog nooit eerder over hem gehad, dus heb ik hem gebeld. Toen kwam het toevallig ter sprake dat hij een afspraakje tussen jou en die jongen had geregeld. Dus... hoe was Tony? Waar hebben jullie over gepraat?"

Ik keek Dee Dee recht in haar ogen en zei met een strak gezicht: „We hebben het over de moord gehad."

Dee Dee hapte naar lucht, en haar ogen vulden zich met tranen. „Verdorie! Je wilt zeker niets meer met me te maken hebben, hè?"

„Ik wil graag vrienden met je zijn," zei ik, terwijl ik van mijn fiets stapte en die op de standaard zette, „maar op dit moment ben ik razend op je moeder."

„Dat kan ik je niet kwalijk nemen," zei Dee Dee. „Maar het is haar werk. Ze verkoopt huizen. Wat had ze dan moeten doen?"

„Ze had mijn vader eerlijk moeten vertellen dat er een moord was gepleegd."

„Dan had hij het niet gekocht. Dat deed niemand, als ze het vertelde." Over haar schouder wierp ze een blik op ons huis en huiverde. „Het huis zou daar maar staan en steeds verder vervallen. Nadat de Holts zijn vertrokken, heeft iemand stenen door de ramen gegooid. Later werd de achterdeur vernield. Niemand in de straat wilde dat het huis nog langer leeg zou blijven staan. Kun je ons standpunt niet begrijpen?"

„Nee," zei ik.

Dee Dee draaide zich langzaam om en slofte in de richting van haar eigen huis, dus voegde ik eraan toe: „Maar ik wil wel dat we vrienden blijven."

Met een ruk keek ze op en er verscheen een hoopvolle glimlach op haar gezicht. „Ik zou het afschuwelijk vinden naast je te wonen, terwijl we geen vriendinnen zouden kunnen zijn."

Ik slaagde erin haar glimlach te beantwoorden. „Ik geloof niet dat iemand niet bevriend met jou zou willen zijn. Zelfs Eric vindt je eigenlijk wel aardig, volgens mij."

„Eric is een geval apart. Vriend zijn van hem is ook niet altijd een lolletje. Hij kan een vreselijke etter zijn, als het hem zo uitkomt." Dee Dee maakte een gebaar met haar schouders alsof ze daarmee alle problemen van zich afschudde. „En nu Tony," ging ze verder. „Ik weet al dat hij lang is, maar hoe ziet hij eruit?"

„Heel gewoon, niets bijzonders," antwoordde ik, maar ik voelde hoe een blos langs mijn wangen omhoogkroop.

Dee Dee grijnsde breed, maar voordat ze een woord kon zeggen, ging ik verder: „Hij is inderdaad lang, zoals Eric al had gezegd en hij ziet lekker bruin. Zijn haar en zijn snor zijn donkerbruin."

„Zijn snor?" Haar wenkbrauwen gingen omhoog. „Hoe

oud is hij eigenlijk?"

„Een jaar ouder dan Eric. Negentien dus."

„En jij vindt hem leuk," constateerde Dee Dee.

„Ja, ik geloof het wel." Ik voelde dat mijn wangen nog roder werden.

„Heb je al ontbeten?" informeerde Dee Dee. „Ik nog niet. Kom mee, dan maakt Lupita wel iets voor ons klaar, en dan kun jij me over Tony vertellen."

Ik wilde Dee Dee helemaal niet over Tony vertellen. Tony was van mij. Met een opvallend gebaar keek ik op mijn horloge, zonder dat ik daadwerkelijk zag hoe laat het was, en zei: „Ik moet zo naar huis. Mijn moeder rekent erop dat ik alleen even een blokje om fiets en dan thuiskom om haar te helpen met uitpakken. Ik zie je nog wel."

„Als je wilt, kan ik ook komen helpen." Ze wierp een schichtige blik op ons huis. „Vroeg of laat zal ik er toch aan moeten wennen in dat huis te zijn."

„Zoals wij eraan moeten wennen om er te wonen."

Dee Dee deinsde even terug.

Het was niet mijn bedoeling geweest haar te kwetsen. „Sorry," zei ik, „jij kunt er ook niets aan doen."

Dee Dee knipperde met haar ogen en wist een glimlach op haar gezicht te krijgen. „Over een uurtje ben ik bij je. Oké?"

„Leuk," antwoordde ik. „Er is werk genoeg."

Toen ik mijn ritje had voltooid, zette ik de fiets in de garage en liep naar de keuken, waar mijn moeder op haar knieën op de vloer zat, met haar hoofd in een van de kasten.

„Zal ik dat voor je doen?" bood ik aan.

Ze schoof behoedzaam achteruit tot ze rechtop kon zitten. „Nee, bedankt," zei ze. „Ik weet precies hoe ik alles in de kastjes wil hebben." Ze gebaarde in de richting van de eettafel. „Ik heb een boodschappenlijstje gemaakt. Als jij de auto nu eens pakt en boodschappen doet. Daarna zijn de boekwinkels wel open. En misschien kun je ook nog even bij de dierenarts langsgaan om Dinky te halen."

„Dat is een goed idee. Ik mis Dinky."

Mijn moeder hield haar hoofd scheef en keek me onderzoekend aan. „Waarom ben je opeens zo in Spaans geïnteresseerd?"

„Omdat er in Houston veel mensen zijn die Spaans spreken." We waren altijd eerlijk en open tegenover elkaar, en ik vond het vervelend dat ik de ware reden voor haar moest verbergen.

Mijn moeder zuchtte even en zei: „Ik begrijp wel dat de verhuizing niet gemakkelijk voor je was, Sarah, maar als je eenmaal naar school gaat, krijg je wel nieuwe vrienden."

„Eén vriendin heb ik al: Dee Dee Pritchard."

Mijn moeders gezicht betrok even.

Voor ze iets kon zeggen, voegde ik er snel aan toe: „Dee Dee is ontzettend aardig. Echt waar. Je kunt haar niet de schuld geven van wat haar moeder heeft gedaan."

„Ik weet wel dat je gelijk hebt," zei mijn moeder, „maar de streek die Evelyn ons heeft geleverd, vergeet ik niet zomaar."

„Het komt allemaal wel in orde, mam." Ik pakte het boodschappenlijstje en liep snel de keuken uit.

Terwijl ik in de boekwinkel in de rij voor de kassa stond te wachten, zocht ik de lijst met veel gebruikte uitdrukkingen op. Lo necesito esta noche: Ik heb het vanavond nodig. Aqui tiene la lista: Hier is de lijst. Trate de encontrarlo: Probeer het te vinden.

Probeer het te vinden! Met trillende vingers haalde ik het papiertje uit mijn zak. Daar stonden de woorden waarmee ik was wakker geworden: *Trate de encontrarlo*. Dezelfde woorden als in het woordenboek. Probeer het te vinden. Maar wat moest ik proberen te vinden?

Snel betaalde ik en liep toen naar de auto. Ik bladerde het boek door op zoek naar de juiste woorden om mijn vraag te formuleren. 'Vinden' was encontrar, maar de vervoeging stond er niet bij. Hier stond qué, dat 'wat' betekende. Kon ik die twee woorden combineren? Of moest ik alleen '¿Qué?' zeggen, als de onzichtbare verschijning de woorden opnieuw in mijn geest zou fluisteren, *Trate de encontrarlo*?

Toen ik Dinky ophaalde, was ik zo blij haar weer in mijn armen te hebben, dat ik met mijn wang langs haar vacht streek. Ze keek me aan alsof het mijn schuld was dat ze een paar dagen bij de dierenarts in pension was geweest.

„Ik kan het ook niet helpen," zei ik tegen haar en stopte haar in de reismand. „De verhuizing is voor ons allemaal moeilijk, dus waarom niet voor jou?"

Dinky keek me hooghartig aan en draaide me haar rug toe.

Op het moment dat ik ons tuinpad opreed, kwam Dee Dee net aanlopen. „Ik ben er klaar voor," zei ze. Terwijl ze een van de grote zakken met boodschappen van de achter-bank tilde, kreeg ze de reismand in het oog. „Hé, wat een leuk beest."

Dinky bekeek Dee Dee iets welwillender dan ze mij had gedaan. Maar eenmaal binnen, negeerde ze ons allebei en ging op onderzoek uit.

Ik keek nauwlettend naar haar reactie. Katten konden toch dingen voelen die voor mensen niet waarneembaar zijn? Maar Dinky stapte kalm rond, zonder ook maar een enkele zwiep van haar staart.

Mijn moeder en Dee Dee begroetten elkaar een beetje op-gelaten.

„Ik zal de boodschappen opruimen," zei mijn moeder. Ze knikte in de richting van de kamer van het dienstmeisje. „Het zou fijn zijn als jullie de vloer daar willen schoonma-ken, vooral in die diepe muurkast. Ik geloof niet dat mijn rug dat nog aankan."

Dee Dee en ik wapenden ons met emmers, dweilen en een fles allesreiniger. „Ik doe de kast wel," bood ik aan.

Op mijn knieën begon ik de plint stevig te boenen. Ik was zo ingespannen bezig, dat ik aanvankelijk niet merkte dat de lucht in de kast was veranderd. Die werd warmer en beroerde mijn gezicht in een regelmatig ritme, alsof het adem was.

In mijn hoofd klonken opnieuw de woorden: *Trate de encontrarlo.*

¿Qué? wilde ik weten. *¿Qué, qué, qué?*

Ik kreeg geen antwoord, maar de ademhaling versnelde. *Hoe kan ik u helpen als u me niet vertelt, wat ik moet vinden?*

84

drong ik aan. Hardnekkig boende ik door, in een steeds hoger tempo, om het ritme van de trillende lucht te verbreken. Het was alsof een opgewonden hartslag, een stokkende adem mij overspoelde.

Opeens viel een gedeelte van de plint van de muur. „Nee, hè!" riep ik uit. „Ik geloof dat ik iets kapot heb gemaakt." Maar op hetzelfde moment besefte ik dat het mijn schuld niet kon zijn. De plank moest al hebben losgezeten, want ik had er niet aan getrokken.

De adem in de lucht was verdwenen.

„Wat heb je kapot gemaakt?" informeerde Dee Dee, die al over mijn schouder hing en spiedend rondkeek in de kast.

Ik nam het stuk hout, dat niet langer was dan zo'n vijfentwintig centimeter, in mijn handen. Misschien kon ik het weer op zijn plaats timmeren. Op hetzelfde moment viel mijn blik op een ondiepe holte in het stucwerk achter de plint. In deze holte lag een bundeltje papieren dat was samengebonden met een zilveren kettinkje.

„Aan de kant, Dee Dee, ik kom eraan." Op mijn knieën schoof ik achterwaarts de kamer in.

Ze liet zich naast me op de grond ploffen, terwijl ik in kleermakerszit tegen de muur ging zitten om het bundeltje in mijn hand aan een nader onderzoek te onderwerpen.

„Wat is dat? Waar heb je het gevonden?" vroeg ze nieuwsgierig.

„Het zat verstopt achter een losse plint."

„Dat is een religieuze hanger," zei ze, terwijl ik het zilveren kettinkje losmaakte, waaraan een rond hangertje van zilver bevestigd bleek te zijn. Het was zo klein dat ik het niet meteen had opgemerkt.

Boven op het stapeltje lag een envelop die niet was dichtgeplakt. De envelop bevatte een pakje bankbiljetten, zowel Amerikaanse als Mexicaanse.

„Jemig!" Dee Dee keek met grote ogen toe. „Hoeveel is het?"

Ik liet de biljetten langs mijn duim flippen. „Zo'n honderdvijftig dollar. Van het Mexicaanse geld weet ik niet hoeveel het waard is."

„Zie je ook ergens een naam?"

Nadat ik de eerste envelop en de hanger in mijn schoot had gelegd, opende ik de tweede envelop. Er zat een zakagenda in van twee jaar geleden. De namen van de maanden en de dagen van de week waren in het Spaans, en elke dag, tot en met twee maart, was gemarkeerd met een klein zwart kruisje. Vanaf drie maart was de agenda blanco.

Dee Dee hapte naar adem. „Drie maart is de dag van de moord! Denk je dat het er iets mee te maken heeft?"

„Ik heb geen idee. De eigenaar van deze spulletjes heeft het huis kennelijk een dag eerder verlaten."

„Of op de dag zelf."

„Bedoel je dat die persoon misschien heeft gezien wat er is gebeurd?" Ik huiverde. Wat een afschuwelijk idee.

„Wat heb je daar nog meer?" Dee Dee wees naar een kleine envelop die in de agenda stak.

Hij was geadresseerd aan een zekere Rosa Luiz, poste restante in een plaats in Mexico, genaamd El Chapul.

Rosa? Heet je Rosa? Een koude rilling gleed langs mijn

rug. Het was alsof ik de vraag niets eens hoefde te stellen omdat ik het antwoord al kende. Ik staarde naar de envelop. „Het is een persoonlijke brief," zei ik. „Die kunnen we toch niet zomaar lezen?"

„Natuurlijk wel!" Dee Dee zat bijna bij me op schoot. „Hij is toch al open? Bovendien is het de enige mogelijkheid om erachter te komen van wie dit pakketje is." Ze zweeg even, voordat ze eraan toevoegde: „En of die persoon iets met de moord te maken heeft."

Ik haalde een velletje papier uit de envelop. Het was vier jaar eerder gedateerd en geadresseerd aan Rosa Luiz.

„Kun je Spaans lezen?" vroeg Dee Dee.

„Nee."

„Kijk dan niet zo glazig naar die brief en geef hem aan mij. Dan zal ik hem lezen en vertalen."

Bijna met tegenzin overhandigde ik Dee Dee de brief, waarna ze hem bestudeerde.

Ik legde mijn hand op haar schouder en schudde haar heen en weer. „Lees nou hardop. Ik wil ook weten wat erin staat."

Gehoorzaam vertaalde Dee Dee de brief, bijna zonder te haperen.

Hierbij deel ik u mee dat uw oom, Carlos Reyna, vorige week is gestorven aan de complicaties van griep. Zoals u weet heeft hij vele jaren op mijn boerderij gewerkt. De andere arbeiders hebben me verteld dat u zijn enige levende familielid bent. Daarom schrijf ik u om u mee te delen dat uw oom is begraven op het kerkhof van Hermosillo. Señor Reyna had

slechts weinige bezittingen, die ik voor u zul bewaren. Wel
sluit ik het hangertje dat hij altijd droeg bij deze brief in.

Mijn oprechte condoleances,
Señor Diego de la Ruiz,
Rancho Playa del Rey, Sonora

Ik voelde een zware last van verdriet. „Arme Rosa," mompelde ik. „Helemaal alleen."

Dee Dee keek me verwonderd aan. „Waarom zeg je dat?"

Zelf was ik ook verbaasd. „Dat weet ik eigenlijk niet." Ik
haalde een paar maal diep adem en probeerde me eruit te
redden. „In die brief staat dat ze zijn enige familielid is.
Daarom dacht ik dat hij ook haar enige familielid was."

„Wat een onzin," was Dee Dee's commentaar. „Misschien
is ze wel getrouwd. Ze kan kinderen hebben, een man en
schoonfamilie. Wie zal het zeggen?" Even zweeg ze. „De
vraag is alleen, wie is deze Rosa Luiz en waarom liggen
haar spullen hier in de kast?"

„Ik denk dat ze hier heeft gewerkt," antwoordde ik.

Dee Dee betastte het stapeltje bankbiljetten. „Arme
vrouw. Ze moet hard gewerkt hebben voor dit geld en
heeft het vast niet willen achterlaten. Misschien kunnen we
erachter komen waar ze woont en het opsturen."

„Nee, dat is onmogelijk!"

„Hoezo? Hoe kun je dat zo zeker weten?"

De wanhopige kreet om hulp die ik had gehoord, moest
van Rosa zijn. Daar was ik van overtuigd. Maar dat kon ik
niet aan Dee Dee vertellen. Hoe kon ik het uitleggen?

„Ik weet wat," zei Dee Dee. „We kunnen meneer Holt opbellen. Misschien weet hij waar Rosa is."

„Nee!" hield ik vol, maar Dee Dee gaf me de brief, sprong overeind en rende de keuken in.

Vlug liep ik achter haar aan. „Wacht even, Dee Dee. Doe dat nou niet."

Dee Dee had zich echter al over het telefoonboek gebogen. „Ik weet waar hij werkt," zei ze. „Ah, dat is het nummer. Ik zal intoetsen, dan kun jij het woord doen."

„We moeten niet..." begon ik, maar Dee Dee was al klaar.

„Hier," fluisterde ze, terwijl ze de telefoon in mijn hand duwde. „Hij gaat over."

„Hallo?" hoorde ik een mannenstem aan de andere kant van de lijn, terwijl ik onwillig de telefoon van Dee Dee overnam. „Hallo?"

Ik probeerde mijn stem zo zakelijk mogelijk te laten klinken, maar vond het een vreemd idee met een man te praten wiens zoon een moord had gepleegd. „U spreekt met Sarah Darnell. Bent u Martin Holt?"

„Ja, dat klopt."

Ik kwam meteen ter zake. „Meneer Holt, mijn ouders en ik wonen in uw vroegere huis aan Fair Oaks Lane. We hebben wat spulletjes van een zekere Rosa Luiz gevonden, en ik hoopte dat u me kunt vertellen hoe ik haar kan bereiken."

Even was het stil.

„Meneer Holt?" vroeg ik. „Bent u er nog?"

„Ja," antwoordde hij achterdochtig. „Wat wil je eigenlijk? Ik begrijp niet waarom je me belt."

„Het spijt me," zei ik. „Misschien ben ik niet erg duidelijk geweest. Bij het schoonmaken heb ik een paar bezittingen van ene Rosa Luiz gevonden."

„Wat voor bezittingen?"

Iets weerhield me ervan hem alles te vertellen. „Wat geld en een religieuze hanger in een envelop met haar naam erop."

„Aha," zei hij, en ik hoorde de spanning wegvloeien uit zijn stem. „Die zullen wel ergens in een verscholen hoekje hebben gelegen, waardoor ze er niet meer aan heeft gedacht. Kennelijk hechtte ze er niet veel waarde aan."

„U kent haar dus?"

„Inderdaad," bevestigde hij.

„Heeft ze bij u gewerkt?"

„Jaren geleden. Toen wij in het huis kwamen wonen, zo'n tien jaar terug, heeft ze een paar maanden bij ons gewerkt. Maar ze beviel niet. Toen is ze vertrokken."

Ik haalde diep adem en vroeg zo kalm ik kon: „Weet u waar ze naartoe is gegaan?"

„Nee," zei hij. „Terug naar Mexico, vermoed ik."

„Ik zou haar graag haar spulletjes willen terugsturen."

„Doe niet zo onzinnig," viel hij uit. „Ze was een van de vele illegalen en woont waarschijnlijk ergens in Mexico. Ze is daar echt niet te achterhalen. Hou het geld en beschouw het als een onverwacht cadeautje."

„Meer kunt u me niet over haar vertellen?"

„Het is al meer dan genoeg. Ik kan me haar nauwelijks herinneren." Zijn stem klonk nijdig. „Ik heb zo dadelijk een afspraak. Hebben wij nog iets met elkaar te bespreken?"

„Nee," zei ik. „Dank u wel."

Terwijl ik de telefoon neerlegde, leunde Dee Dee over de bar en vroeg nieuwsgierig: „En? Wat zei hij? Vertel nou!"

Ik omklemde het pakketje met Rosa's bezittingen. „Hij zei dat hij zich haar nauwelijks kon herinneren, en dat ze hier een paar maanden heeft gewerkt, toen hij en zijn gezin hier kwamen wonen."

Dee Dee keek teleurgesteld. „Nou ja, niets aan te doen."

„Laten we voorlopig niemand vertellen wat we hebben gevonden," stelde ik voor. „Ik heb liever dat anderen er niets van weten."

Dee Dee trok een onschuldig gezicht. „Goed, als jij dat wilt. Ik kan heus wel een geheim bewaren, hoor. Maar ik begrijp alleen niet waarom."

„Daar heb ik nu ook geen speciale reden voor. Doe me gewoon een lol, oké?"

Er was alleen wel degelijk een reden. De periode die meneer Holt had genoemd, was jaren eerder dan de data op de brief en in de zakagenda.

Martin Holt had tegen me gelogen, en ik wilde weten waarom.

HOOFDSTUK 7

Gelukkig had Dee Dee dienst in het zwembad en ze vertrok al snel. Ik had tijd nodig alles eens goed te overdenken.

Mijn moeder kwam de keuken in en gaf me een krant. „Wil je die bij het oud papier in de garage leggen?" vroeg ze.

Mijn blik gleed over de krantenkoppen op de voorpagina en opeens kreeg ik een idee. „Denk je dat het mogelijk is bij de Houston Post of bij de Houston Chronicle oude jaargangen in te zien?" vroeg ik mijn moeder.

„De centrale bibliotheek van bijna iedere stad heeft oude nummers van de plaatselijke kranten op microfilm." Ze strekte zich uit en wreef met een hand over haar onderrug. Toen leunde ze tegen het aanrecht en keek me onderzoekend aan. „Je wilt zeker over de moord lezen, hè?"

„Ja."

Ze fronste haar voorhoofd. „Zou je dat nu wel doen?"

„Iedereen hier is op de hoogte van alle bijzonderheden. Ik geloof dat het gemakkelijker voor me zal zijn als ik die ook ken en er niet langer naar hoef te gissen."

Mijn moeder aarzelde nog. „Tja, ik weet het niet."

Ik liep naar haar toe en legde mijn handen op haar schouders. „Mam, doe niet zo bezorgd. Ik ben geen klein kind meer en kan heus mijn eigen beslissingen wel nemen."

Mijn moeder zuchtte eens diep en keek me aan. „Oké, Sarah. Als je het echt wilt. Je kunt de auto wel nemen, ik heb hem de eerste paar uur niet nodig."

„Bedankt, mam." Ik gaf haar een kus. Opeens schoot me iets te binnen. „Weet jij misschien waar de centrale bibliotheek is?"

Ze lachte. „Waarom bel je niet op, groot kind, om naar het adres te vragen?"

„Probeer deze eerst maar eens," zei de bibliothecaresse, terwijl ze een microfilm in een van de afleesapparaten stopte en me uitlegde hoe dat werkte. „Voorzover ik me kan herinneren, staan de nummers waarin voor het eerst melding werd gemaakt van de moord, op deze film. De verslagen van het proces staan op de onderste film van de stapel die ik je heb gegeven." Ze keek me onderzoekend aan. „Het is lang geleden dat iemand deze informatie heeft opgevraagd."

Ik knikte maar eens. Nadat ze was weggelopen, begon ik de film te bekijken, van pagina naar pagina.

Bijna halverwege de film stond het verhaal dat ik zocht, onder een paginabrede kop:

Mysterieuze verdwijning van pizzabezorgster; 17-jarige jongen bekent moord.

De foto van Adam Holt was nogal onduidelijk. Bovendien hield hij zijn arm voor zijn gezicht. Daarom stond ernaast een schoolfoto van een jaar daarvoor afgedrukt. Adam was blond en vrij mollig. Hij keek met een strak gezicht weg van de camera, zodat zijn ogen niet te zien waren.

Eigenlijk stonden er niet veel andere feiten in de kranten-
berichten dan die mijn vader al had verteld. Het slachtof-
fer, Darlene Garland, was blijkbaar met een bestelling bij
de Holts aan de deur gekomen. Adam Holt had opengedaan met een mes in zijn hand en hij had geprobeerd haar
mee de trap op te sleuren. Ze had zich losgerukt en geprobeerd te vluchten, maar hij had haar neergestoken.

Toen Adam door twee politieagenten naar het hoofdbureau werd gebracht, had hij hun zijn verhaal verteld. Nadat
zijn ouders een advocaat in de arm hadden genomen, had
hij echter geweigerd zijn bekentenis op schrift of op de
band te herhalen.

De berichten in latere kranten bevatten niet veel meer informatie.

Ik haalde de film uit het apparaat en stopte de laatste
film erin. Het was de film met de rechtbankverslagen.
Hierin vond ik informatie die in de eerdere verhalen nog
niet naar voren was gekomen. Een vrouw die tegenover de
Holts woonde, had getuigd dat ze in de tuin achter haar
huis aan het werk was, toen ze gegil hoorde uit de richting
van wat ze meende dat het huis van de Holts was. Ze was
haar eigen huis binnengerend en had de deur op slot gedaan.

'Heeft u de politie gebeld?' wilde de officier van justitie
weten.

'O nee,' was haar antwoord. 'In het begin was ik inderdaad bang, maar toen bedacht ik dat in onze straat eigenlijk nooit nare dingen gebeuren en dat het dus wel spe-
lende kinderen geweest moesten zijn. Ik was bang dat ik

een figuur zou slaan tegenover de politie.'

Ik stopte met lezen. Als die vrouw de politie had gebeld, zou Adam tenminste op de plaats van de misdaad zijn aangetroffen. Voordat ik verder las, wreef ik in mijn ogen, die pijn begonnen te doen door het ingespannen turen.

Het artikel ging verder met de verklaring van de vrouw. Ze meende dat ze op de keukenklok had gekeken en ze was er vrij zeker van dat het kwart over één was geweest. De advocaat van Adam Holt had haar getuigenverklaring aangevochten. En met succes, omdat de bezorgster van de pizza's niet veel eerder dan half twee ter plaatse had kunnen zijn.

De medische deskundige verklaarde dat er in de hal van de familie Holt bloed was aangetroffen van twee verschillende bloedgroepen, te weten A en O. Darlene Garland had bloedgroep O en Adam bloedgroep A.

Een halve krantenpagina werd besteed aan de discussie of de mondelinge bekentenis rechtsgeldig was. De rechter accepteerde die, hoewel de advocaat hem erop wees dat een mondelinge bekentenis door de staat Texas niet als wettig werd beschouwd.

Een paar kranten later las ik dat de jury Adam Holt schuldig had bevonden aan moord met voorbedachten rade, en dat hij werd veroordeeld tot levenslang. Zijn advocaat ging echter in hoger beroep, op grond van het feit dat de mondelinge bekentenis ten onrechte in de uitspraak was betrokken.

Ik las niet verder, omdat ik wist hoe het was afgelopen. Het Hof van Beroep had de uitspraak vernietigd en Adam werd in vrijheid gesteld, waarna hij bij zijn moeder ging wonen.

Hoewel alles erop wees dat Adam de verdwenen Darlene had vermoord, bleef hij ongestraft, omdat er geen ooggetuige was, die hem op de plaats van het misdrijf had gezien.

Waar in dit geheel paste Rosa? Ik had het onbehaaglijke gevoel dat ik iets over het hoofd zag. Ergens in alles wat ik had gelezen, lag een antwoord verscholen, maar waar?

Ik schrok op toen ik opeens een stem bij mijn schouder hoorde zeggen: „Heb je gevonden wat je zocht?"

Ietwat verdwaasd keek ik de bibliothecaresse aan, die me had geholpen de microfilms bij elkaar te zoeken.

„Ik weet het eigenlijk niet," antwoordde ik. „Ik had verwacht dat er iets over..." Er flitste iets door mijn hoofd, maar voordat het tot me doordrong, was het alweer verdwenen. Wat was het?

„Wil jij de worteltjes schrappen?" vroeg mijn moeder, terwijl ze naar de garage liep. „Ik ga nog gauw even naar de winkel om sla en tomaten te kopen. Die ben ik vergeten."

Nadat ik de worteltjes had geschrapt, liep ik, met Dinky op mijn hielen, de kamer in. Het was stil in huis en waaiers zonlicht stroomden door de ramen naar binnen. Ik liep naar de hal en bleef op de drempel staan. Er hing een vredige sfeer en ik betrapte mezelf erop dat ik wachtte, terwijl ik versmolt met de namiddag-schemering waarin de hal al was gedompeld. Het was alsof ik niet anders kon. Waarom?

Heel langzaam, alsof mijn huid werd beroerd door kille vingers, werd ik me bewust van een onzichtbare aanwezigheid die zich in mijn nabijheid bevond. Het was een angstige gewaarwording. „Rosa, ben jij het?" fluisterde ik.

Esto para Usted.

Van het kleine beetje Spaans dat ik ooit had geleerd, wist ik dat die woorden 'dit is voor u' betekenden, maar wat Rosa ermee bedoelde, was me een raadsel.

Ik deed een stap opzij en zocht steun bij de muur, waarna ik me behoedzaam op de grond liet zakken en mijn benen in kleermakerszit vouwde. „Wat is voor mij?" fluisterde ik zo luid, dat ik er zelf van schrok. „Rosa, wat wil je van mij?"

Dinky liet een blazend geluid horen, terwijl haar haren rechtop stonden. Plotseling slaakte ze een schrille kreet en vluchtte de hal uit.

Hoewel ik bang was, deed ik mijn ogen stijf dicht en probeerde me te concentreren. *Rosa,* smeekte ik in mijn hoofd, *je moet me niet bang maken. Ik heb je toch beloofd dat ik je zal helpen?*

Er kwam geen antwoord, dus voegde ik er nog aan toe: *Ik probeer je te bereiken, maar je zult me moeten helpen. Ik ben hier omdat jij het wilt, en zal naar je luisteren. Ik wacht.*

Silencio, por favor. De woorden klonken zacht en verdrietig, bijna als een verontschuldiging. Het drong tot me door dat Rosa me iets wilde laten zien.

Ik voelde hoe de atmosfeer in de hal langzaam veranderde. Er hing een warme, vochtige lucht, die doordrenkt leek van angst. Rosa's tranen gleden als kille ijsdruppels langs mijn wangen. Ik durfde mijn ogen niet te openen, uit vrees dat ik iets afschuwelijks te zien zou krijgen.

Opeens kwam er een eind aan die gewaarwording. *Rosa?* vroeg ik verrast in mijn gedachten. *Wat is er aan de hand? Ben je er nog? Waarom zeg je niets?*

Haar adem streek langs mijn gezicht, snel en opgewonden. Het moment dat ze mij kennelijk iets wilde vertellen of laten zien, wilde ze dat eigenlijk wel, was op de een of andere manier verstoord. Een gevoel van opluchting maakte zich van me meester. Alsof ik ontsnapt was aan iets afgrijselijks.

Rosa, ik ben bang, zei ik in mijn hoofd. *Ik heb beloofd dat ik je zal helpen, maar ik ben ontzettend bang dat ik het niet aankan.*

Tevergeefs wachtte ik op haar antwoord. In plaats daarvan bekroop me het gevoel dat iemand naar me keek. Iemand die niet Rosa was.

De spanning werd me te veel. Mijn ogen vlogen open, en ik keerde mijn hoofd met een ruk naar het raam naast de voordeur. Ik gilde toen ik een gezicht zag dat tegen het raam was gedrukt.

De gedaante wuifde en gebaarde. In mijn verwarring duurde het even voor het tot me doordrong dat het Dee Dee maar was.

Moeizaam slaagde ik erin op te staan, waarna ik nog wat beverig door de hal liep om de deur open te doen.

„Ik wilde je niet aan het schrikken maken," zei Dee Dee. Ze torste een enorme potplant met zich mee, die ze op het tafeltje in de hal neerzette. „Je bent helemaal bleek. Het spijt me." Ze greep me vast bij mijn schouders en leidde me naar de trap, zodat ik kon zitten. „Misschien moet je je hoofd tussen je knieën stoppen."

„Laat maar. Ik val heus niet flauw." Ik haalde een paar maal diep adem en voelde de kleur op mijn wangen terugkeren.

„Waarom zat je in vredesnaam met je ogen dicht op de vloer?" informeerde Dee Dee. „Deed je aan yoga? Ah, ik begrijp het al, je zat zeker te mediteren."

Ik voelde haar bijna denken: Sarah doet vreemd! Nee, niet dat weer, dacht ik, terwijl ik diep zuchtte. Ik voelde me opgelaten en snauwde: „Wat maakte het uit? Ik ben toch geen bezienswaardigheid?"

„Sorry, hoor. Je hoeft niet zo boos te reageren omdat ik je zag zitten," sputterde Dee Dee tegen. „Iedereen die bij jullie aan de deur komt, kan zo naar binnen kijken. Dat grote raam vraagt er gewoon om." En met een glimlach vervolgde ze: „Je hoeft je er niet voor te schamen dat ik je zag mediteren. Dat doen zoveel mensen. Vorig jaar heb ik zelf een afslankcursus gevolgd, waarbij je moest mediteren. Ik heb het wel geprobeerd, maar kon me niet concentreren, omdat ik steeds aan andere dingen moest denken." Ze grinnikte. „Als ik jou was, zou ik maar liever ergens anders mediteren, in je slaapkamer of zo. Daar heb je meer privacy dan hier in de hal." Ze liet zich naast me op de trap neerzakken.

„Wil je wat drinken?" vroeg ik in een poging van onderwerp te veranderen.

„Nee, bedankt. We gaan zo eten," zei Dee Dee. „Mijn moeder vroeg me die plant aan jouw moeder te geven, en ik wilde je nog iets vertellen over die spullen die je in de kast hebt gevonden. Ik heb Lupita gevraagd of er in dit huis iemand heeft gewoond die Rosa Luiz heette en ze..."

„Dee Dee!" brak ik haar woordenstroom af. „Ik heb je nog zo gevraagd niemand iets te vertellen over die spullen!"

Een beetje schuldbewust keek ze me aan. „Dat heb ik ook niet echt gedaan. Ik heb haar alleen maar gevraagd of ze ene Rosa Luiz kende. Verder zal ik er met niemand over praten, eerlijk."

„Oké. Wat zei Lupita?"

„Dat is nu juist zo gek," zei Dee Dee, „ze reageerde ontzettend angstig en ratelde in het Spaans zo snel een verhaal af, dat ik er niets van begreep. Ik heb alleen een paar woorden opgevangen: immigreren en uitzetten."

„Ging het over Rosa?"

„Dat moet haast wel," bevestigde Dee Dee.

„Maar als Rosa het land is uitgezet, heeft ze haar bezittingen toch wel mogen meenemen?"

„Misschien heeft ze alleen haar kleren meegenomen," opperde Dee Dee, „en heeft ze pas aan die andere dingen gedacht toen ze al op weg was naar Mexico. Toen was het natuurlijk te laat."

„Denk je echt dat ze haar geld en de hanger van haar oom zou vergeten? Dat kan ik me niet voorstellen."

„Ik weet het niet." Dee Dee boog zich voorover en krabde afwezig aan een rode plek op haar enkel. „Van Lupita worden we in elk geval niets wijzer. Dat kwam ik je vertellen."

„Integendeel. We zijn behoorlijk wat wijzer geworden van Lupita."

Dee Dee stopte met krabben en ging rechtop zitten. Ze keek me verbaasd aan. „Waar heb je het over?"

„Heel eenvoudig," zei ik. „Door Lupita's reactie weten we dat ze Rosa kende."

HOOFDSTUK 8

Tegen de tijd dat het avondeten voorbij was, voelde ik me uitgeput. Ik ging in de kamer televisie kijken en werd wakker tijdens het nieuws van tien uur.

„Het is een goed teken," hoorde ik mijn vader zeggen. „Sarah voelt zich niet meer zo gespannen. We moeten haar voorbeeld volgen. De moord is verleden tijd. We kunnen ons leven er niet door laten beïnvloeden."

„Mijn oordeel over de mensen in onze straat, wordt er anders wel door beïnvloed," zei mijn moeder. „Ik kan er niets aan doen." Ze wierp een venijnige blik op de potplant van Evelyn Pritchard, die ik vanuit de hal naar de kamer had verhuisd.

„Ik weet het." Even zweeg hij, toen vervolgde hij: „Daarin zouden we ook een voorbeeld aan Sarah kunnen nemen. Zij heeft al vrienden hier in de straat."

Luid gapend rekte ik me uit en ging rechtop zitten, alsof ik juist wakker werd en hun gesprek niet had gehoord. „Het ziet ernaar uit dat ik precies op tijd wakker ben geworden om naar bed te gaan," merkte ik op.

„Je hebt de hele avond geslapen. Je kunt vast niet in slaap komen," zei mijn moeder. „Zal ik een kop warme chocolademelk voor je maken? Dan kunnen we nog even gezellig met elkaar praten."

„Nee, bedankt. Ik heb geen trek in chocolademelk, en ik ben te moe voor een gesprek. Eerlijk gezegd heb ik het gevoel dat ik wel een paar weken achter elkaar kan slapen."

„Misschien heb je vitamine-gebrek," begon mijn moeder,

maar mijn vader en ik begonnen tegelijk te protesteren.

„Dorothy!"

„Mam!"

Ze lachte. „Oké, ik hou mijn mond al."

Ik kuste mijn ouders welterusten en liep de trap op naar mijn kamer. Daar aangekomen deed ik de deur achter me dicht en opende de onderste la van mijn kast. Vervolgens pakte ik de spulletjes van Rosa en stalde die uit op het ladekastje, om ze nog eens goed te bestuderen. De zilveren hanger, die ik nog vast had, leek tot leven te komen in mijn handpalm. Ik opende mijn vingers en liet mijn blik over het kleine, ronde voorwerp glijden.

Rosa? vroeg ik, maar ik kreeg geen antwoord. Het leek alsof het zilver warmer werd, maar dat zou wel verbeelding zijn. Ik legde de hanger naast de zakagenda en bekeek de brief aandachtig.

Wat had Rosa me die middag willen tonen? Ik huiverde en verdrong de vraag uit mijn geest, omdat ik bang was voor het antwoord.

Opnieuw gaapte ik. Mijn oogleden waren zwaar. Ik rolde de spulletjes weer in een bundeltje en stopte dat terug in de la. Nadat ik onder de douche was geweest, liet ik me met een plof op bed vallen.

Ik droomde over een jonge vrouw, niet veel ouder dan ikzelf. Ze zat ineengedoken met een grote, geweven omslagdoek om zich heen, op het voeteneind van mijn bed. Ze was heel knap om te zien. Haar huid was diepbruin, haar zwarte haren waren strak naar achteren getrokken en haar ogen waren onafgebroken op mijn gezicht gericht.

Het verdriet dat haar gelaatstrekken tot een strak masker vervormde, was zo intens, dat ik vol medeleven mijn hand naar haar uitstrekte.

Ze ging rechtop zitten en stak haar handen in mijn richting. Door die beweging gleed de omslagdoek van haar schouders en zag ik dat haar lichaam was doordrenkt met bloed. Het donkere bloed drupte van haar vingers op de mijne, maar ik slaagde er niet in mijn hand terug te trekken.

„Nee!" probeerde ik te schreeuwen.

¡Ayúdame! smeekte ze.

Doodsbenauwd wilde ik roepen dat ze weg moest gaan. Ik wilde ontsnappen aan die ogen die in de mijne staarden. Maar mijn stem weigerde dienst en ik kon me niet bewegen. Uiteindelijk klonk een wanhopige, bijna dierlijke kreet diep uit mijn keel, waardoor ik wakker werd.

Het laken had zich om mijn benen gewikkeld en ik baadde in het zweet. Moeizaam slaagde ik erin me van het laken te ontdoen en rechtop te gaan zitten, waarna ik het lampje naast mijn bed aanknipte om de laatste schaduwen van de nachtmerrie te verjagen.

Het was volkomen stil in huis. Gelukkig had ik mijn ouders niet wakker gemaakt. Ik liet me tegen het hoofdeinde zakken, met het beeld van de vrouw nog steeds in mijn hoofd.

Het moest Rosa zijn.

Ik had beloofd haar te helpen en mijn geest voor haar opengesteld, haar toegestaan te verschijnen.

„Niet in mijn slaap," mompelde ik hardop. „Ik moet nog

iets overhouden waarheen ik kan ontsnappen. Je moet me niet zo laten schrikken, Rosa. Kun je me verstaan?"

Er heerste een betekenisvolle stilte. Het was alsof heel zacht een deur werd gesloten. Ze was weggegaan.

Ik begreep niets van de droom. Waarom had Rosa onder het bloed gezeten? Wat had ze met de moord op Darlene Garland te maken? Wat was er in werkelijkheid gebeurd in dit huis?

Ik kroop weer onder het laken, gaf mijn kussen een paar forse stompen en nestelde me op mijn zij. Hoewel ik hunkerde naar slaap, durfde ik niet goed aan mijn vermoeidheid toe te geven, omdat ik bang was dat Rosa opnieuw zou verschijnen.

Na het ontbijt de volgende ochtend besloot mijn moeder schilderijen te gaan ophangen. Ik hielp haar met opmeten, boren, schroeven en timmeren. De hamerslagen verdreven de gedachten aan de droom gelukkig uit mijn hoofd.

Rond een uur of elf vroeg mijn moeder: „Waar is Dee Dee eigenlijk? Ik had verwacht dat ze wel langs zou komen."

„Ze zei dat ze de hele dag met haar moeder moest winkelen. Vandaag hoeft ze niet te werken als badmeester."

„Over winkelen gesproken," zei mijn moeder, „ik heb een lange lijst met van alles wat we nodig hebben voor de klussen die hier in huis nog gedaan moeten worden. Het zal me de hele middag wel kosten om alles op te duikelen. Wil je mee? Of blijf je liever thuis?"

Ik glimlachte. „Rondsnuffelen in doe-het-zelfzaken is niet bepaald mijn idee van een gezellig middagje. Ik kan beter thuisblijven en verder werken. Zal ik de boeken uit-pakken en in de boekenkasten zetten? Ik weet wel zo'n beetje hoe je het wilt hebben."

„Nou, dolgraag," was mijn moeders reactie. „Dat is een karweitje waar ik huizenhoog tegen opzie."

Later die ochtend kwam de post, maar weer was er geen brief uit Springdale van Marcie. Waarom zou ze me trou-wens schrijven? Ik had haar toch ook nog niet geschreven. Vandaag zal ik dat doen, beloofde ik mezelf. Ik zal haar over Dee Dee vertellen, misschien zelfs over Tony...

Na de lunch vertrok mijn moeder, en Dinky nestelde zich voor haar middagdutje op de bovenste doos met boeken. Ik pakte haar op en gaf haar een ander plekje. Ze miauwde verstoord, waarna ze zich oprolde en deed alsof ze verder sliep.

Al gauw was ik zo verdiept in het neerzetten van de boe-ken, dat ik opschrok toen de deurbel klonk. Dinky verhief zich elegant en sloeg geïrriteerd met haar staart.

Door het raam bij de voordeur zag ik Tony staan, en mijn adem stokte even toen zijn ogen de mijne ontmoetten. Ik glimlachte en deed geen poging mijn blijdschap te verber-gen, toen ik snel de deur voor hem opende.

„Ik was toevallig in de buurt en het leek me een goede gelegenheid om kennis te maken met je moeder," zei Tony, terwijl hij de hal binnenstapte en de deur achter zich dicht-deed.

De lucht werd koud en het was alsof de muren tot leven kwamen. Mijn hoofd bonsde en zwijgend schreeuwde ik tegen Rosa: *Nee! Ga weg! Je kunt me dit nu niet aandoen!*

Hijgend greep ik Tony's hand en trok hem met me mee, de hal uit, door de eetkamer, de keuken in. Daar liet ik zijn hand los en leunde tegen het aanrechtblad, terwijl ik een paar maal diep ademhaalde. Wat ik in de hal had gevoeld, was nu verdwenen.

Tony keek me onderzoekend aan. Hij had zijn ogen samengeknepen en een blauwe gloed scheen tussen zijn wimpers. „Wat is er met je aan de hand, Sarah?"

„Niks, maak je geen zorgen." Ik probeerde het gebeurde van me af te schudden. „Ik denk dat ik een beetje buiten adem ben, omdat ik zo druk bezig ben geweest met het uitpakken van boeken." Omdat ik het gesprek in een andere richting wilde sturen, opende ik de koelkast. „Heb je zin in een glas fris?"

„Ja, lekker," zei hij. „Maar ik kan maar even blijven." Hij wierp een blik op zijn horloge, waarna zijn ogen in de richting van de kamer gleden. „Waar is je moeder?"

„O, die is boodschappen aan het doen. Ze zal nog wel even weg blijven."

Tony glimlachte. „Dan heb ik dus het verkeerde moment voor mijn bezoek gekozen," merkte hij op. „Zal ik je een handje helpen met de boeken?"

„Dat zou fijn zijn, maar je zei dat je weinig tijd had."

Hij lachte ontspannen. „Ik maak gewoon tijd."

We namen onze drankjes mee naar de kamer en werkten zij aan zij, waardoor het uitpakken goed opschoot. Ons gesprek bestond uit korte vragen van zijn kant, als „Waar wil je deze hebben?" en mijn antwoorden: „Op die onderste plank," of „Daar rechts naast de boeken over tuinieren," totdat hij opeens het stapeltje boeken uit mijn handen pakte en me meetrok naar de bank.

„Laten we even pauzeren," stelde hij voor. „En wat praten." Tot mijn genoegen bleef hij mijn hand vasthouden.

„Vertel eens wat over jezelf," zei Tony.

„Er valt niet veel te vertellen. We hebben in Missouri gewoond, totdat mijn vader naar Houston werd overgeplaatst."

„Dat gaat niet over jou." Hij leunde in mijn richting en keek me diep in de ogen, alsof hij zo kon zien wat er in me omging. „Ik wil meer weten over Sarah," hield hij vol, „over de dingen die haar gelukkig maken. Wat ze leuk vindt." Zijn stem klonk zacht, bijna fluisterend. „En zelfs waarvoor ze bang is."

Het laatste bracht me in verwarring. „Waarom wil je dat weten?"

„Je bent bang voor iets," zei hij, terwijl hij mijn hand streelde. „Kijk, je beeft."

Misschien was ik wel bang voor Tony, of voor de gevoelens die hij bij me opriep.

„Als het met het huis te maken heeft," ging hij verder, „kan ik je misschien helpen."

Tony ging rechtop zitten, waardoor de betovering werd verbroken, en ik haalde eens diep adem. „Hoe kun jij me nou helpen?"

„Ik ken Adam en het verhaal van de moord."

„Heeft Adam jou verteld waarom hij het heeft gedaan?"

Tony wierp me een snelle, zijdelingse blik toe. „Wie zegt dat Adam het heeft gedaan? Hij gebruikte verschillende medicijnen. Een antibioticum voor de een of andere infectie, en, omdat hij last had van depressiviteit, had hij daarvoor ook iets van de dokter gekregen. Bovendien gebruikte hij spierversterkende middelen om in vorm te komen voor het footballteam. Door de overdosis aan medicijnen kon Adam zich niet meer herinneren waar hij die middag is geweest of wat hij heeft gedaan."

„Maar moord?" vroeg ik. „Is het mogelijk dat iemand zich niet herinnert dat hij een moord heeft gepleegd?"

Tony reageerde stekelig. „Zoals ik al zei, het is helemaal niet bewezen dat Adam die moord heeft gepleegd. Het lijk is toch ook nooit gevonden? Ik sta aan zijn kant en wil niet dat hij naar de gevangenis gaat."

„Daar is ook niet veel kans op, wel?" Ik realiseerde me dat ik verbitterd klonk toen Tony me een scherpe blik toewierp.

Hij zweeg geruime tijd. Daarna zei hij: „Het gaat me om jou, Sarah, niet om Adam. Ik ben erg op je gesteld en vind het vervelend als je bang bent in dit huis. Ik wil dat je gelukkig bent."

„Er... er is echt niets met me aan de hand."

Tony schoof naar me toe en sloeg zijn arm om mijn schouder. „Toen ik hier kwam, was je bang voor iets, dat kon ik aan je gezicht zien. Waarvoor?"

„Het was alleen maar... nou, ja, een soort gevoel, dat later weer verdween."

Tony's hand rustte warm en stevig op mijn arm. „Als je erover wilt praten, Sarah, kun je altijd bij mij terecht."

Dolgraag had ik hem alles verteld wat er met mij was

gebeurd, maar dat kon natuurlijk niet. Misschien was er toch iets waar Tony me mee kon helpen. „Jij kwam hier wel eens, hè?" vroeg ik hem.

„Ja, dat klopt."

„Heb je ooit een van de huishoudelijke hulpen ontmoet?"

De druk van zijn vingers nam even toe, maar hij antwoordde zonder aarzelen: „Zeker. Een stuk of wat in de loop van de jaren... misschien drie."

„Heette een van hen misschien Rosa Luiz?"

„Rosa Luiz?" Zijn stem klonk onnatuurlijk. „Ik weet het niet. De naam klinkt me niet bekend in de oren."

„Ze was jong en heel mooi, met een smal gezicht en grote ogen."

Tony ging met een schok rechtop zitten en staarde me aan. „Hoe weet jij dat?"

Hakkelend probeerde ik me eruit te redden. „Ik... ik heb een paar dingen gevonden, die van haar zijn geweest. Ze had ze achter een losse plint in de kast van de kamer van het dienstmeisje verstopt."

„Wat voor dingen?"

„Geld... Amerikaanse dollars en Mexicaanse peso's. Eén brief aan haar geadresseerd op een Mexicaans adres waarin stond dat haar oom was gestorven. Verder nog een zilveren hanger en een zakagenda."

„Een zakagenda?! Wat voor een?"

„Gewoon een kleine agenda. Ze had de dagen tot drie maart aangekruist."

Tony zweeg en ademde zwaar.

„Wat is er aan de hand?" vroeg ik hem.

110

„Niets," antwoordde hij. „Ik probeer alleen maar of ik me iets kan herinneren, zoals je vroeg." Opeens voegde hij eraan toe: „Je hebt de foto niet genoemd."

„Er was geen foto."

„Hoe weet je dan hoe ze er uitzag?"

Ik slaakte een diepe zucht en flapte eruit: „Ik heb die vrouw, die Rosa, gezien... in een droom."

Nu had ik het weer gedaan. Ik kon mezelf wel wat doen dat ik zo loslippig was en wachtte gelaten tot de ongemakkelijke, opgelaten blik in Tony's ogen zou verschijnen. Maar dat gebeurde niet.

Hij keek me peinzend aan. „Een droom," mompelde hij. „Ik herinner me vaag dat er een jonge vrouw was. Het zou kunnen dat die Rosa heette. Mooie Rosa noemde Adam haar, geloof ik."

„Wanneer woonde ze hier?"

Hij fronste zijn voorhoofd, alsof hij diep nadacht. „Hoe moet ik dat weten?"

„Ik bedoel, is het al lang geleden?" Waarom stelde ik die vraag eigenlijk? Probeerde ik hem op de proef te stellen?

Tony leunde achterover tegen de kussens van de bank en kneep zijn ogen samen, terwijl hij me bestudeerde. „Dat weet je toch wel door die zakagenda die je gevonden hebt?"

Ik bloosde en stond met mijn mond vol tanden.

Tony ging staan. „Ik moet gaan," kondigde hij aan.

„Je bent toch niet kwaad?" vroeg ik. „Het was geen strikvraag, hoor."

Hij greep mijn hand en trok me overeind. „Hé, maak je

geen zorgen. Ik had je toch gezegd dat ik niet zo lang kon blijven."

„Mijn moeder zal zo wel thuiskomen," zei ik met een blik op de klok. „Als je nog even tijd hebt, kun je met haar kennismaken."

„Het spijt me, maar ik ben al aan de late kant." Tony legde zijn handen op mijn schouders. „Luister, Sarah," begon hij, „ik wil je niet ongerust maken, maar ik hoop dat je die spulletjes van Rosa op een veilige plek hebt opgeborgen."

„Een veilige plek? Hoezo?"

„Heb je dat gedaan of niet?"

„Niet speciaal. Ze liggen gewoon in een la van de kast op mijn kamer, maar daar komt nooit iemand." Hij keek me zo ernstig aan, dat het me bang maakte. „Waarom moet ik ze verbergen?"

„Omdat niemand mag weten dat je ze hebt. Je hebt toch niemand anders verteld dat je ze hebt, hè?"

„Ik heb meneer Holt gebeld om hem naar Rosa te vragen en verteld dat ik wat dingen van haar had gevonden. En mijn vriendin, Dee Dee, weet het natuurlijk. Ze was erbij toen ik die spulletjes vond en heeft de brief voor me vertaald."

„Hoe minder mensen ervan weten, hoe beter," mompelde Tony. „Jammer dat je vriendin op de hoogte is."

„Waarom?"

„Waarom? Omdat ze volgens Eric altijd alles doorvertelt."

„Ik heb haar gevraagd er met niemand over te praten."

Hij schudde zijn hoofd. „We weten niet of die spullen van Rosa iets te betekenen hebben. Het zal wel niet, maar we moeten het toch maar geheim houden."

„Dat begrijp ik niet."

„Ze is vast naar Mexico teruggegaan," legde Tony uit. „Daar kun je haar toch niet vinden, terwijl je behoorlijk wat onnodige problemen kunt veroorzaken, als je het wel probeert."

„Voor wie?"

„Voor Adam en zijn ouders," zei Tony. „En waarschijnlijk ook voor Rosa, omdat ze hier illegaal verbleef." Hij haalde diep adem, en zijn ogen waren zo donker en dwingend, dat ik huiverde. Daarna voegde hij er zachtjes aan toe: „En misschien voor jou."

„Tony!" wist ik schor uit te brengen. „Is dat een dreigement of zo?"

„Natuurlijk niet!" Tony keek gekwetst. „Zo bedoelde ik het niet. Ik wilde je alleen maar waarschuwen."

HOOFDSTUK 9

Mijn moeder vond het jammer dat ze Tony was misgelopen. „Waarom heeft hij niet van tevoren gebeld?"

„Hij was niet van plan langs te komen, maar was toevallig in de buurt."

Tussen mijn moeders wenkbrauwen verscheen een kleine frons. „Voordat je weer met Tony uitgaat, wil ik hem wel leren kennen, Sarah, dat vind ik prettiger."

„Ja, dat komt in orde," zei ik snel. „Je vindt hem vast aardig." Glimlachend snuffelde ik in een van de zakken met boodschappen en zei: „Niks interessants hier. Toen ik klein was, nam je altijd een lolly voor me mee."

„Probeer het eens in die zak bij het fornuis," zei mijn moeder met een grijns. „Geen lolly's, maar misschien ben je tevreden met een tros sappige druiven."

Ik waste de druiven en deed ze in een schaal.

Mijn moeder kwam naast me staan en at een handvol druiven op, terwijl ze tegen het aanrecht leunde. „Ik ben vanmiddag ook op het kantoor van de wijkvereniging geweest en heb een gezinsabonnement voor het zwembad gekocht."

Toen ik niet reageerde, ging ze verder met: „Zodra je er weer aan toe bent, kun je dus gaan zwemmen."

Daar was ik echter nog niet aan toe. Nog niet.

In de loop van de volgende ochtend kwam Dee Dee binnenwaaien. „Ik zag jullie naam op de lijst in het zwembad staan," zei ze tegen mijn moeder en mij. „Hebben jullie al gezwommen?" informeerde ze.

„Daar hebben we nog geen tijd voor gehad," vertelde mijn moeder haar.

„Waarom gaan jullie niet nu?" stelde Dee Dee voor. „Ik val vanmorgen voor een van de andere badmeesters in en moet over een paar minuten in het zwembad zijn. Het is een prachtige warme dag en het zal heerlijk zijn in het water."

„Ik heb er wel zin in," verklaarde mijn moeder. Ze streek een vochtige haarsliert van haar voorhoofd en lachte. Afwachtend keek ze me aan.

„Ik ga de rest van de boeken inruimen. Het zijn er niet veel meer," kondigde ik aan.

„Geen sprake van," zei Dee Dee beslist. „Je gaat met ons mee, en als je niet wilt zwemmen, zal niemand je dwingen. Dan ga je maar lekker in de zon zitten. Als je geen zonnebrandlotion hebt, kun je die wel van mij lenen."

Mijn moeder zweeg en wachtte mijn beslissing af, maar er lag een hoopvolle blik in haar ogen.

„Oké," stemde ik toe, hoewel ik er vreselijk tegen opzag, „ik ga mee." Ik zou een boek kunnen meenemen en gaan zitten lezen. Dan hoefde ik niet naar het water in het zwembad te kijken, als ik dat niet wilde.

„Probeer het alsjeblieft," fluisterde mijn moeder, toen we in het zwembad waren aangekomen.

Om haar een plezier te doen, keek ik naar het water en de mensen die erin rondzwommen, en ik hield mezelf voor dat ik daar ook weer plezier in zou kunnen hebben. Maar het kostte me moeite om adem te halen, en ik moest mijn handen tegen mijn borst duwen om een gevoel van paniek te onderdrukken. Ik herinnerde me weer de stekende pijn die ik had gevoeld toen mijn longen om lucht schreeuwden.

Ik strompelde naar de veiligheid van een schaduwrijk plekje onder een grote eik, waar ik me huiverend op de grond liet zakken en het zwembad de rug toe draaide.

Mijn moeder trok een tijdlang baantjes in het diepe bad. Daarna kwam ze naar de plek waar ik op mijn buik lag te lezen. Waterdruppels vielen op mijn armen en mijn boek, toen ze haar haren in een handdoek wikkelde.

Terwijl ze naast me kwam zitten, krabbelde ik overeind en vroeg: „Zullen we naar huis gaan?"

„Ik wil eigenlijk een tijdje zonnen en daarna nog een keer het water in," zei ze. „Als je er geen bezwaar tegen hebt."

„Mam, ik wil nu graag naar huis. Ik ben hier naartoe gekomen en heb het echt geprobeerd."

„Dan gaan we."

„Jij kunt nog wel een tijdje blijven en van de zon en het zwemmen genieten. Als ik ga lopen, ben ik in een paar minuten thuis."

„Neem de auto dan, Sarah. Het is afschuwelijk heet."

„Nee, hou jij de auto maar. Ik loop veel liever. Heus." Ik gaf haar een kus boven op haar hoofd, zwaaide in Dee Dee's richting en liep met grote passen het zwembadterrein af, de straat op. Het kostte me inderdaad niet meer dan een paar minuten om naar huis te wandelen.

Toen ik de voordeur opendeed, schoot Dinky langs me heen naar buiten, in plaats van om mijn benen te kronkelen en me kopjes te geven, zoals ze anders deed.

„Dinky!" riep ik, maar ze zat midden in een bloemperk met haar rug naar me toegekeerd, alsof ik niet bestond. Alleen aan het ritmische zwiepen van haar staart zag ik dat haar iets dwarszat. „Gek beest," zei ik tegen haar. „Wat mankeert je?"

Ik deed de deur achter me dicht en sloot de hitte buiten. Snel liep ik naar de keuken om wat water te drinken. Houston in augustus was niet geschikt om buiten te lopen.

Een zacht geluid trok mijn aandacht. Ik probeerde het thuis te brengen. Wat was dat? Het kraken van de vloer boven? Een voetstap? Hoorde ik de zachte klik van een deur die behoedzaam werd gesloten?

Met ingehouden adem stond ik doodstil te luisteren, terwijl het gevoel dat er iemand in huis aanwezig was, steeds sterker werd.

Mijn eerste gedachte was Rosa, maar het was niet haar aanwezigheid die ik voelde. Er bevond zich een persoon van vlees en bloed in huis, die zich evenzeer van mijn aanwezigheid bewust was, als ik van de zijne.

Opnieuw klonk er boven mijn hoofd een zwak geluid, nauwelijks hoorbaar. Er was iemand op de bovenverdieping!

Ik probeerde mijn paniek te onderdrukken en te bedenken wat ik moest doen. Zou ik door de keukendeur vluchten, om hulp te gaan halen? Nee, besloot ik kwaad, niemand had het recht om door ons huis te sluipen en mee te nemen wat van zijn gading was. Als ik hulp ging halen, zou hij er vandoor gaan.

Zo geruisloos mogelijk, liep ik naar de telefoon op het keukenbuffet en toetste het alarmnummer in. Fluisterend vertelde ik de telefonist van de meldkamer ons adres en wat er aan de hand was. Ik legde de telefoon neer en sloop naar de achterdeur. Ik kon de deur echter niet open krijgen, want hij zat op het nachtslot, en de sleutel die altijd in het slot stak, was verdwenen!

Ik hoorde boven aan de trap iets bewegen. Wie het ook was, hij kwam dichterbij. Als hij naar de keuken kwam, zat ik in de val. Ik kon ook niet meer naar de voordeur rennen, omdat de indringer me dan in de hal te pakken zou krijgen.

Misschien kon ik me in de slaapkamer van mijn ouders verschansen en door het raam ontsnappen.

De telefoon ging. Dat zou de politie wel zijn, om mijn alarm-oproep na te trekken, maar ik had nu geen tijd meer om de telefoon op te nemen.

Ik hoorde duidelijk voetstappen op de trap en ik rende naar het halletje tussen de kamer en de keuken, schoot de wc in, sloeg de deur achter me dicht en draaide het slot om. Bibberend leunde ik tegen de muur en wachtte in de duisternis. Ik durfde het licht niet aan te doen. Jammer genoeg was er geen raampje waardoor ik kon ontsnappen.

Het zonlicht kwam onder de deur door en wierp een lichte streep op de tegels. Er verschenen donkere vlekken in het patroon. Er stond iemand voor de deur.

Even later verdwenen de vlekken weer. Kennelijk liep hij weg. Langzaam liet ik mijn adem ontsnappen.

Wat zou hij nu gaan doen?

Als ik in zijn schoenen stond, wist ik het wel. Ik zou naar de keuken gaan en iets zoeken om het slot van de wc mee open te wrikken. Ik had dat al meerdere keren gedaan in mijn functie van baby-sit. Kleine kinderen hadden er geen enkele moeite mee de wc-deur op slot te draaien, maar wisten vaak niet hoe ze hem weer open konden krijgen.

Als hij dat van plan was, moest ik vluchten voordat hij terugkwam! Mijn hand was zo vochtig dat die van de deurknop afgleed.

Ik aarzelde, bang dat hij me achter de deur stond op te wachten. Onwillekeurig moest ik denken aan Dinky, die bewegingloos de vogels in de achtertuin bespiedde, klaar om haar prooi te bespringen.

Stond er achter de deur ook iemand te wachten? Zonder zich te bewegen, tot ik de deur zou openen?

Opeens hoorde ik voetstappen. Hij was teruggekomen en het licht dat onder de deur door scheen, werd opnieuw onderbroken door de schaduwen van zijn voeten. Ik trok me zoveel mogelijk terug tegen de muur en besefte dat ik me niet kon verdedigen.

Ik meende dat ik iemand aan de deurknop hoorde morrelen, maar op hetzelfde moment hoorde ik ook het geluid van een sirene: de politie kwam snel naderbij.

Achter de deur hoorde ik een geërgerd gesis. Wie het ook was, hij had de sirene ook gehoord. Stille, gehaaste voetstappen vertelden me dat hij de aftocht blies.

Het geluid van de sirene klonk schel. De wagen van de politie draaide blijkbaar ons tuinpad op.

Roekeloos gooide ik de deur van de wc wagenwijd open

en rende naar de hal. Op hetzelfde moment belde er een politieagent aan.

Bevend over mijn hele lichaam en met klapperende tanden liet ik de twee agenten binnen en probeerde hen uit te leggen wat er was gebeurd. Het waren mannen van rond de vijfendertig jaar, van gemiddelde lengte en met donkerblond haar. Ze vertelden me hun naam, maar ik was zo van streek, dat het niet tot me doordrong.

De ene doorzocht de bovenverdieping, terwijl de ander beneden de deuren en de ramen controleerde.

„Er is geen indringer in huis te bekennen, en er zijn geen sporen van braak," zei een van de agenten ten slotte. „Zijn er dingen verdwenen?"

Ik voelde me opgelaten, omdat ik nog niet eens op het idee was gekomen om dat na te gaan. Snel maakte ik een ronde door het huis. Alles leek in orde. Mijn moeders handtas, met daarin een portemonnee, lag op haar bed. Ik keek in haar juwelenkistje. Ze bezat niet echt dure sieraden, alleen een horloge en een paar ringen, maar er ontbrak zo te zien niets.

Boven kon ik ook niets ontdekken. Kleine stofdeeltjes dansten in de zonnestralen die door mijn raam vielen. Dinky, die het huis weer in was gewandeld toen ik de agenten binnenliet, paradeerde langs me heen en sprong op het bed. Ze nestelde zich tussen de kussens met een beschuldigende blik in haar ogen, alsof ze het me kwalijk nam dat haar rust was verstoord.

„Weet jij wat er is gebeurd, Dinky?" vroeg ik.

Bij wijze van antwoord kneep ze haar ogen dicht en deed

alsof ik niet bestond.

„Heb je ook daadwerkelijk iemand in huis gezien?" vroeg de eerste agent, toen ik me beneden weer bij hen had gevoegd.

„Nee, ik heb alleen iemand gehoord."

„Door temperatuurschommelingen klinkt er gekraak in ieder huis. Of misschien hoorde je de airconditioning aanslaan."

„Nee, het waren voetstappen. Hij... hij stond voor de wc."

„Probeerde hij de deur open te doen?"

„Ik... ik weet het niet."

„Heb je de deurknop zien bewegen?"

„Niet echt. Ik... ik heb het licht niet aangedaan."

Ze keken elkaar even berustend aan, en ik voelde dat ik rood werd. „Het was echt geen verbeelding. Er was iemand in huis."

Een van de agenten gaf me een kaartje en zei: „Als er weer problemen zijn, bel je ons maar."

„U gelooft me niet, hè?"

De andere agent veegde met de rug van zijn hand het zweet van zijn voorhoofd en zette toen zijn pet weer op. „Er zijn geen sporen van braak," zei hij. „En voorzover je weet, is er ook niets verdwenen. Een inbreker zou waarschijnlijk je moeders horloge en ringen hebben meegenomen, en zeker het geld."

„U zult wel gelijk hebben," gaf ik toe, terwijl er opeens een gedachte door mijn hoofd schoot. „Tenzij hij hier niet was om iets te stelen."

De agent had zijn hand al op de deurknop liggen. Hij draaide zich om en keek me aan. „Heb je de laatste tijd rare telefoontjes gehad? Word je door iemand gevolgd? Is er een reden om aan te nemen dat iemand het op jou heeft gemunt?"

„Nee."

De andere agent knikte naar het kaartje in mijn hand. Zijn geduld raakte kennelijk uitgeput. „Als je ons nodig hebt, kun je ons bellen," zei hij.

„Oké. Bedankt," mompelde ik, terwijl ze naar buiten liepen. Ik wist dat ze me niet geloofden.

„Waarom was er iemand in ons huis?" vroeg ik me hardop af. „Waarom? Waarom?"

En wie?

HOOFDSTUK 10

Mijn moeder kwam de politiewagen tegen toen ze onze straat inreed. Ik bleef buiten wachten, tot ze de auto had weggezet.

„Het leek wel of die politiewagen ons tuinpad af kwam rijden," zei mijn moeder, voor ik de kans had iets te vertellen. Ze droeg een T-shirt over haar badpak en had een handdoek om haar nek hangen.

„Dat is ook zo," antwoordde ik. „Ik heb ze gebeld."

Mijn moeder bleef abrupt staan en staarde me verbijsterd aan. „Waarom? Wat is er gebeurd?"

„Kom eerst maar mee naar binnen, dan zal ik je alles vertellen."

Ze liep achter me aan het huis in, naar de keuken, terwijl ze vroeg: „Probeerde er iemand in te breken?" Op hetzelfde moment kwam er een andere mogelijkheid bij haar op. Ze greep me bij mijn schouders en liet haar blik bezorgd over mijn gezicht glijden. „Sarah! Er is toch niets met jou gebeurd, hè?"

„Mam!" Ik moest een stem opzetten om tot haar door te dringen. „Stel niet zoveel vragen! Luister gewoon!"

„Vertel me eerst hoe het met jou gaat," hield ze vol.

„Met mij gaat het prima. Niks aan de hand."

„Maar wat...?"

„Ga zitten, mam, dan zal ik je alles vertellen." Ik drukte haar zonder pardon op de dichtstbijzijnde keukenstoel neer en ging naast haar zitten.

„Toen ik thuiskwam, liep ik meteen door naar de keuken

om wat te drinken. Terwijl ik hier was, meende ik boven iemand te horen rondlopen. Dus heb ik de politie gebeld."

„Hebben ze hem te pakken gekregen? O, lieve help!" Met haar rechterhand greep ze naar haar linkerpols. „Mijn horloge! Dat lag gewoon voor het grijpen op mijn bed! En mijn tas! Mijn portemonnee!" Ze stond al half overeind.

„Wie het ook was, hij heeft niets gestolen," stelde ik haar gerust.

Ze keek me verbaasd aan en liet zich weer terugzakken op de stoel. „Helemaal niets? Was het een man? Heb je hem gezien?"

„Nee." Ik slaakte een diepe zucht. „Toen ik iemand de trap af hoorde rennen, heb ik mezelf in de wc opgesloten. Ik heb hem dus niet gezien, alleen gehoord."

„Waarom ben je niet door de achterdeur gevlucht?" wilde mijn moeder weten. „Dat was het snelst en het veiligst geweest."

„Omdat die op het nachtslot zat, en de sleutel weg was."

We keken beiden gelijktijdig naar de deur.

„Daar ligt hij," zei mijn moeder. „Op de grond, precies onder het slot."

„Daar lag hij net niet! Dan had ik hem wel gezien. Daarom ben ik naar de wc gerend toen ik hem naar beneden hoorde komen. Ik heb zelfs de schaduw van zijn benen onder de deur door gezien."

Mijn moeder keek me met grote ogen aan, en opende haar mond. „Maar..."

„Laat me nou eens uitpraten, mam. Het kan zijn dat hij van plan was het slot van de wc open te breken, maar toen hij de sirene van de politiewagen hoorde, is hij er vandoor gegaan."

„Dan moet de politie hem hebben gezien."

„Dus niet. Ze hebben het huis van onder tot boven doorzocht en geen enkel spoor van inbraak gevonden. Bovendien was er niets gestolen." Bitter voegde ik eraan toe: „Ze hebben het niet met zoveel woorden gezegd, maar ze lieten me wel voelen, dat ze dachten dat ik het me allemaal had verbeeld."

Mijn moeder had een bezorgde uitdrukking op haar gezicht. Ze pakte mijn hand vast. „Is het mogelijk dat dat inderdaad zo is, Sarah? Tenslotte ligt die sleutel daar?"

„Nee," hield ik vol.

Ze was nog niet gerustgesteld. „Sarah, je hebt ons nooit verteld wat er precies met je gebeurde, toen we de eerste keer het huis binnengingen. Hebben de gebeurtenissen van vandaag daar misschien iets mee te maken?" Ze haalde eens diep adem, en ik zag de angst in haar ogen. „Heeft het iets te maken met wat je in Springdale voelde? De schaduw die je achtervolgde?"

„Absoluut niet!"

Mijn moeder dacht even na. „Oké," zei ze toen met een zucht. „Ik ga mijn badpak uittrekken. Daarna maken we een rondje door het huis." Ondanks haar woorden, zag ik dat ze me niet geloofde.

Binnen vijf minuten was ze terug. Haar haren waren nog nat en ongekamd. „Ik controleer hier beneden, doe jij boven maar," zei ze, en ze liep de kamer in, waar ze ongetwijfeld zou beginnen het tafelzilver na te tellen.

Onwillekeurig ging ik boven eerst mijn eigen kamer in. Het zag ernaar uit dat er niets was verdwenen. Zelfs een handvol muntgeld lag onaangeroerd op de ladekast. Een voor een trok ik de laden van de kast open. Ik begon bij de bovenste, en inspecteerde de inhoud voor de tweede keer. Voorzover ik kon zien, lag alles op zijn plaats. Maar toen ik de onderste la wilde terugschuiven, werd het opeens koud in de kamer.

Ik huiverde. „Rosa?"

Haar wanhoop vulde het vertrek.

„Rosa, wat...?" Ik maakte de vraag niet af, omdat ik het antwoord al kende. Ik zakte op mijn knieën en ging met beide handen door de stapeltjes kleren. Wanhopig zocht ik naar het bundeltje met Rosa's bezittingen.

Het lag niet meer in de la. Het was verdwenen.

Tranen van boosheid rolden langs mijn wangen. Degene die in ons huis was geweest, had het gestolen!

Wie deed nu zoiets?

Mijn eerste gedachte was Tony. Ik had hem precies verteld waar ik het bundeltje had opgeborgen. Maar waarom zou hij het stelen? Bovendien had hij me juist gewaarschuwd het bundeltje te verstoppen.

Dee Dee was ook op de hoogte. Ze had de spullen van Rosa gezien en de brief zelfs voor me vertaald. Maar zij kon het niet gedaan hebben, omdat ze dienst had als badmeester. Het was onmogelijk dat ze haar post had verlaten om bij ons in te breken.

Dee Dee kon echter haar mond niet houden. Tony had zich daar zorgen over gemaakt, en ik deed dat nu ook. Ik

126

wist dat ze Lupita over Rosa's bezittingen had verteld. Zou ze het ook aan Eric hebben verteld?

Was Eric soms de dief?

Ik schoof de la dicht en liep mijn kamer uit. Op de overloop tussen de beide slaapkamers bleef ik even staan om mijn gedachten op een rijtje te zetten. Toen liep ik de logeerkamer in. Ik staarde door het raam en zag hoe de bladeren van de boom buiten het raam door de hete bries in beweging werden gebracht. Het gordijn zat vast onder het schuifraam.

Er gleed een koude rilling langs mijn rug, toen tot me doordrong wat ik zag. Wie had dat raam opengedaan? Mijn vader of moeder niet, we hadden immers airconditioning! Hoe was het dan mogelijk dat het gordijn klem was komen te zitten?

Snel liep ik naar het raam, schoof het omhoog en trok het gordijn opzij. Onder het raam was een smalle richel, die bijna geraakt werd door een dikke tak van de boom die voor het huis stond. Ik sloot het raam weer en probeerde het te vergrendelen, maar de sluiting was kapot. Zodra mijn vader thuis kwam, zou ik hem vragen het te repareren. Tot dan... Vertwijfeld keek ik de kamer rond en probeerde iets te vinden waarmee ik het raam kon vastzetten. Maar ik zag niets wat daarvoor geschikt was.

Mijn hoofd tolde van alle gedachten. Dit was Adams kamer geweest. Adams vader had tegen me gelogen over het tijdstip dat Rosa hier had gewerkt. Zou hij Adam hebben verteld wat ik had gevonden? Was Adam teruggekomen om het bundeltje te stelen?

Adam de moordenaar! Was hij het, die ik in ons huis had gehoord?

Nee. Eric had me verteld dat Adam in Californië bij zijn moeder woonde. Maar als het Adam niet was geweest, dan moest het Eric zijn.

Ik rende naar de telefoon in mijn kamer en liet me voorover op mijn bed vallen. Met bevende vingers bladerde ik in het telefoonboek, tot ik Erics nummer had gevonden.

„Hallo," klonk zijn stem. Ik staarde naar de telefoon, niet in staat iets te zeggen.

„Hallo?" zei Eric opnieuw. „Met wie spreek ik?"

„Met... met Sarah."

„Welke Sarah?" vroeg hij spottend.

Ik verzamelde al mijn moed. „Eric, waar is Adam Holt?"

Hij aarzelde maar even. „Dat heb ik je toch verteld. Hij woont bij zijn moeder in Californië." Het spottende toontje keerde terug in zijn stem. „Ah, je wilt de naam van de plaats weten? Die ben je zeker vergeten, hè? Nou, het is Cedar Creek." Quasi geduldig begon hij te spellen: „C-E-D-A-R..."

Ik onderbrak hem. „Leuk, hoor."

„Leuk? Ik zou het niet weten. Ik ben er nog nooit geweest."

„Eric! Je begrijpt best wat ik bedoel. Waarom doe je zo vervelend?"

Zijn stem klonk iets minder spottend. „Je hebt niet veel gevoel voor humor, wel?"

„Niet als er bij ons wordt ingebroken en ik me dood schrik."

„Je klinkt niet erg dood, je klinkt zelfs buitengewoon levend en gezond."

Ik haalde diep adem en moest mijn best doen niet tegen Eric te gaan schreeuwen. „Eric, lieg je tegen me?"

„Liegen? Waarover?"

„Hou op! Woont Adam echt in Californië?"

„Natuurlijk," zei hij zo gladjes, dat ik niet meer wist of hij nu loog, of alleen maar deed alsof.

„Van jou word ik niet veel wijzer, hè?"

„Dat worden maar weinig mensen."

„Volgens mij bescherm je Adam Holt. Waarom sta je aan zijn kant?"

„Waarom niet?" beet hij me toe. „Adam is niet veroordeeld omdat niemand kon bewijzen dat hij het gedaan had. Dat betekent dat hij vrij is. Moet hij de rest van zijn leven als een soort verschoppeling ergens wonen, waar hij niet wil?"

„Heb jij bij ons ingebroken?"

„Waarom zou ik dat doen?"

„De politie is hier geweest. Heb je dat niet gezien?"

„Nee, ik ben net thuis. Wat is er precies gebeurd?" Hij klonk eerder nieuwsgierig dan bezorgd.

„Toen ik thuiskwam van het zwembad, was er iemand in ons huis."

„Nou, nou. Is er iets gestolen?" Er lag een onechte toon in zijn stem, alsof hij het antwoord wist.

„Nee, er is niets gestolen," zei ik. „Ik was bang dat hij het op Rosa's spullen had gemunt. Gelukkig heeft hij die niet kunnen vinden."

„Maar...!" De uitroep ontglipte hem en hij zweeg meteen weer.

Mijn truc had gewerkt. Eric wist van Rosa's bezittingen, en hij wist wie ze had gestolen.

Was het Adam? Of Eric zelf?

„Nou, bedankt," snauwde ik, en voor hij kon reageren, legde ik neer.

Daarna belde ik inlichtingen, en kreeg het telefoonnummer van mevrouw Holt in Cedar Creek, Californië.

Ze nam op, nadat de telefoon drie keer was overgegaan.

Ik was zo zenuwachtig, dat mijn stem schor klonk toen ik vroeg: „Kan ik Adam spreken, alstublieft?"

Ze hield hoorbaar haar adem in. Even was het stil, toen informeerde ze op wantrouwende toon: „Met wie spreek ik?"

„Mijn naam is Sarah."

„Heb je ook een achternaam, Sarah?"

„Neem me niet kwalijk, mevrouw, Sarah Darnell." Ik probeerde het laatste woord zo onduidelijk mogelijk uit te spreken, in de hoop dat ze de naam niet in verband zou brengen met de kopers van haar voormalige huis in Houston.

„Waarom wil je Adam spreken?" vroeg ze argwanend. „Ben je soms journaliste?"

„Nee, hoor," probeerde ik haar gerust te stellen. „Ik ben nog maar zestien, en zit nog op school."

Het nam haar wantrouwen niet weg. „Waar bel je vandaan?"

„Ik wilde u niet lastigvallen," zei ik. „Is Adam er ook?"

Op scherpe toon antwoordde ze: „Het spijt me, maar Adam kan nu niet aan de telefoon komen."

„Komt hij gauw terug?"

„Hoe weet ik dat nou?" snauwde ze. „Je kunt me je telefoonnummer geven, maar ik kan je niet garanderen dat hij terugbelt. En val me voortaan niet meer met telefoontjes lastig. Begrepen?"

„Ja, ik heb het begrepen," zei ik en ik verbrak de verbinding.

Langzaam liep ik de trap af en ging op de onderste tree zitten om alles eens goed te overdenken. Mijn blik gleed naar het grote raam bij de deur en ik herinnerde me hoe ik was geschrokken toen Dee Dee naar binnen had getuurd.

'Iedereen die bij jullie aan de deur komt, kan zo naar binnen kijken,' had Dee Dee gezegd.

Darlene Garland was aan de deur gekomen om een pizza te bezorgen. Had ze toen misschien iets gezien?

Stel dat Adam Holt haar niet had vermoord, omdat ze zich had verzet, zoals hij aanvankelijk had gezegd, maar dat hij haar had vermoord, omdat ze getuige was geweest van iets, waarvan hij niet wilde dat iemand het zag?

De moord op Rosa?

Het leek een onmogelijk idee, maar ik hoe langer ik erover nadacht, hoe logischer het werd. Ik herinnerde me hoe de vrouw die tegenover de familie Holt woonde, had verklaard dat ze geschreeuw had gehoord, maar een tijdstip had genoemd dat vroeger was dan de komst van de pizzabezorgster. Had ze misschien Rosa horen gillen, en niet Darlene?

Was Adam erin geslaagd om alles wat op haar aanwezigheid in huis kon duiden, te verwijderen? Zijn ouders moesten hem dan geholpen hebben. Als verder niemand van Rosa's aanwezigheid wist, en als ze alleen naar de Verenigde Staten was gekomen en geen familie had die op de hoogte was van haar verblijfplaats, wie zou haar dan missen? Wie zou er merken dat ze was verdwenen?

De volgende ochtend zei ik tegen mijn moeder dat ik de stad in wilde, en leende haar auto. Bij het politiebureau vroeg ik naar de rechercheur die de zaak Adam Holt had behandeld. Stomtoevallig bleek hij aanwezig te zijn en hij was bereid me te woord te staan.

Inspecteur Hardison had een gedrongen figuur en was enigszins kalend. Zijn gezicht was verweerd. „Ga zitten," zei hij, terwijl hij naar een stoel tegenover zijn bureau wees. „Wat kan ik voor je doen?"

Ik vertelde dat wij de nieuwe bewoners waren van het huis waar Adam Holt had gewoond. Hij trok een wenkbrauw op, en ik vroeg me af wat hij dacht over het wonen in een huis waar een moord was gepleegd. „Ik wil u graag een paar dingen vragen," zei ik. „Ik heb de krantenartikelen over de verdwijning en vermoedelijke moord op Darlene Garland gelezen en..."

„Waarom hou je je nog met die moord bezig?" vroeg hij. „Die zaak is al voor de rechter geweest, hoor."

„Dat weet ik," antwoordde ik, „maar ik denk... Mag ik u een paar vragen stellen? Dan zal ik het u daarna uitleggen."

Hij knikte kort.

„Had Adam Holt verwondingen toen hij werd gearresteerd? Bloedde hij?"

„Afgezien van een paar schrammen, was hij niet gewond."

„Maar tijdens het proces heeft de medisch deskundige verklaard dat er bloed was aangetroffen van twee bloedgroepen."

„Ja, dat klopt."

„Hoeveel bloed van elke bloedgroep?"

Inspecteur Hardison trok zijn wenkbrauwen op. „Die vraag is niet aan de orde gekomen. Dat leek niet van belang."

„Heeft u Adams bloed onderzocht?"

„Natuurlijk. Hij heeft bloedgroep A, een van de twee bloedgroepen die door de deskundige op de plaats van het misdrijf zijn gevonden."

„Hoe weet u dat het Adam Holts bloed was? Er zijn ontzettend veel mensen die bloedgroep A hebben."

„Voorzover ik weet, is het bloed alleen getest op bloedgroep."

„Is het niet mogelijk bloed zo te onderzoeken, dat het vast komt te staan, van welke persoon het is?"

„Ja. Tegenwoordig kun je met behulp van een DNA-test bepalen welk bloed bij welk individu hoort, maar in die tijd hadden we noch de kennis, noch de apparatuur."

„Heeft u die apparatuur nu wel?"

„Niet hier in Houston, maar we kunnen monsters opsturen naar een laboratorium in New York."

„Is het nog mogelijk een test te doen met de monsters die u toen heeft genomen?"

Hij leunde achterover en glimlachte. „De mensen die de test hebben ontwikkeld, beweren dat die zelfs nog werkt bij een mummie."

„Een mummie? Ik weet dat ik uw tijd in beslag neem," verontschuldigde ik me, „maar ik wil echt graag weten hoe het zit met DNA en hoe die test werkt."

„Prima," zei hij. „DNA zit in iedere cel van ons lichaam en verschilt, net als vingerafdrukken, van persoon tot persoon. Zelfs bij lichamen die al in een verregaande staat van ontbinding zijn, is het nog mogelijk het DNA vast te stellen."

„Het bloed dat in het huis is aangetroffen, is misschien wel van dezelfde bloedgroep als dat van Adam, maar ik denk dat het niet zíjn bloed was."

„Wat bedoel je?"

„Ik denk dat het het bloed was van een vrouw die Rosa Luiz heette."

De inspecteur ging rechtop zitten en keek me doordringend aan. „Die naam is nooit ter sprake gekomen. Wie is dat?"

Ik vertelde hem over het bundeltje bezittingen van Rosa en dat het uit ons huis was gestolen. En ik legde hem uit wie ik dacht dat Rosa was.

„Ik weet dat niet alles in de kranten heeft gestaan, daarom ben ik bij u gekomen... om wat meer te weten te komen. Er zijn te veel dingen die niet kloppen. Ik begrijp bijvoorbeeld niet, nu ik de krantenartikelen heb gelezen, waarom Adam Holt Darlene Garland met een mes bij de deur stond op te wachten en haar mee naar binnen heeft getrokken. Ze was naar het verkeerde adres gegaan en hij wist niet dat ze zou komen. Maar dit zou wel te verklaren zijn als ze eerst naar binnen heeft gekeken toen ze wilde aanbellen en heeft gezien wat zich in de hal afspeelde."

„Wat speelde zich daar volgens jou dan af?" Hij leunde voorover en luisterde geconcentreerd naar mijn verhaal.

„Ik denk dat Darlene getuige was van een andere moord. Ik denk dat ze heeft gezien hoe Adam Holt het dienst-meisje Rosa Luiz heeft vermoord."

„Je kunt gelijk hebben, maar er is geen enkele aanwijzing dat er, afgezien van het gezin Holt, iemand anders in het huis woonde. Waarom denk je dat?"

„Er is wel bewijs dat Rosa daar woonde. De zak-agenda..." Ik zweeg abrupt. „O nee. Ik vergeet dat die is gestolen."

„We hebben alleen jouw woord dat die spullen bestaan."

„Mijn buurmeisje heeft ze ook gezien. Zij heeft de brief voor me vertaald."

„Heb je ze ook aan je ouders laten zien?"

„Nee, dat was ik wel van plan, als ik alle feiten op een rij-tje had gezet."

„Je kijkt zeker veel televisie?" merkte hij op. „Detective-series? Politiefilms?"

„Ik heb het echt niet verzonnen," probeerde ik hem te overtuigen. „U moet me serieus nemen. Er zijn nog meer dingen die met mijn verhaal kloppen. De vrouw die tegenover de familie Holt woonde, heeft het gegil gehoord

135

vóór het tijdstip dat Darlene gearriveerd kon zijn. Dat moet het geschreeuw van Rosa zijn geweest."

„Tijdens het proces heeft de advocaat van Adam de getuigenverklaring van de overbuurvrouw zonder enige moeite aan flarden gescheurd. Ze was geen geloofwaardige getuige. Dat kwam niet alleen door het tijdstip dat zij noemde." Hardison schudde zijn hoofd. „Geloof me, de officier van justitie zou niets liever willen dan de zaak tegen Adam Holt heropenen. Maar zolang we geen nieuwe bewijzen hebben, is het onmogelijk de zaak rond te krijgen."

„Kunt u Martin Holt niet ondervragen over Rosa? Hij heeft tegen mij gelogen over de periode dat ze voor hen werkte."

„Waarom zou hij dan tegen mij niet liegen?"

Ontmoedigd en zelfs enigszins boos zakte ik achterover in mijn stoel.

„Wat die Rosa Luiz betreft, kunnen we alleen maar afgaan op jouw veronderstellingen. Ik herinner me de kamer van het dienstmeisje nog wel. Er lag geen beddengoed op het bed en de kast was leeg. Het vertrek was schoon en niets wees erop dat er iemand had gewoond. We hadden geen enkele reden aan de verklaring van de familie Holt te twijfelen."

Hardison stond op, ten teken dat het gesprek voorbij was. Ik had geen andere keus dan ook maar op te staan.

„Het spijt me," zei hij. „Misschien hebben ze rond die tijd wel een illegale buitenlandse in dienst gehad, maar het is heel goed mogelijk dat die al maanden voor de moord naar Mexico is teruggekeerd. Je ideeën over wat er gebeurd kan zijn, zijn heel interessant, maar wij hebben concrete aanwijzingen nodig."

Ik was al halverwege de uitgang van de afdeling moordzaken, toen me iets te binnen schoot. „Hoe zit het met vingerafdrukken?" vroeg ik inspecteur Hardison. „Darlene Garland is waarschijnlijk neergestoken. Waren Adam Holts vingerafdrukken op het mes niet voldoende om hem te veroordelen?"

„Vingerafdrukken zouden zeker genoeg zijn om hem te veroordelen," antwoordde hij, „maar het moordwapen is helaas nooit gevonden."

HOOFDSTUK 11

Toen ik thuiskwam, lag er een briefje van mijn moeder op het tafeltje in de hal. Ze was lopend naar het zwembad gegaan en zou tegen half twee weer thuis zijn. Ik was haar net misgelopen. Natuurlijk zou ik ook naar het zwembad kunnen gaan, maar daar had ik geen zin in. Misschien kon ik straks met de auto naar het zwembad rijden om haar op te halen.

Ik was te lamlendig om een boterham voor mezelf klaar te maken. Door het gesprek met inspecteur Hardison was ik zo teleurgesteld dat ik nergens meer zin in had en ik voelde me uitgeput. Ik ging in een luie stoel zitten, legde mijn hoofd tegen de rugleuning en sloot mijn ogen.

Dinky sprong met een zachte plof op mijn schoot. Ik aaide haar kop en kroelde achter haar oren en onder haar kin. Haar tevreden gespin stopte opeens, en ik voelde hoe ze haar haren opzette.

„Wat is er aan de hand, Dinky?"

Dinky sprong met een diep gegrom van mijn schoot en schoot de kamer uit. Hoewel mijn geest op volle toeren werkte, leek het alsof mijn lichaam verlamd was. Ik probeerde mijn ogen te openen, maar mijn oogleden waren te zwaar.

Wat was er aan de hand?

Geleidelijk aan vond er een verandering plaats in de kamer. De atmosfeer werd zwaar. Het gevoel van de lucht op mijn huid, de geur ervan en zelfs de stoel waarin ik zat, waren niet meer hetzelfde.

Sarah. Venga acá, Sarah.

Omdat ik een leraar had gehad, die deze woorden altijd gebruikte, wist ik wat ze betekenden. 'Kom hier.'

Venga acá. De stem die me vanuit de hal riep, was verstikt door tranen.

„Nee... alsjeblieft!" riep ik uit. Vanuit mijn borst verspreidde zich een kille angst door mijn lichaam. Koude rillingen kropen langs mijn armen naar de toppen van mijn vingers. Mijn ogen gingen open en ik bevond me in een andere kamer, in een andere tijd. Met tegenzin stond ik op uit de stoel en liep stap voor stap, alsof ik een robot was, in de richting van de hal. In de deuropening bleef ik staan en hield me vast aan de deurpost. Ik beefde zo erg, dat ik niet verder kon lopen. Vanaf de plek waar ik stond, kon ik de hal inkijken en zag ik de voordeur en het hoge raam ernaast.

Opnieuw wierp het zonlicht een gele gloed op de marmeren tegels. De inrichting van de hal was net als de vorige keer, alleen stond de vaas met lathyrus nu rechtop.

Opeens werd de stilte verscheurd door een ijselijke kreet en automatisch deed ik mijn handen over mijn oren. Voor me zag ik hoe Rosa over de grond werd gesleept. Haar blouse en haar rok waren aan flarden gescheurd. Gillend probeerde ze zich te verzetten tegen een blonde jongen die zich over haar boog, terwijl hij met zijn rechterhand een keukenmes omklemde. Toen hij de hand met het mes omhoog bracht, begon ik ook te gillen. Ik gilde, en gilde. Ik kon niet meer stoppen.

Opeens slaakte de jongen een boze kreet. Ik hoorde hem

naar de deur rennen en die openrukken. Daarna klonk het geluid van een worsteling en de stem van een jonge vrouw die om hulp riep.

Ik durfde niet te kijken, en ik kon ook niet ophouden met gillen.

Het vertrek draaide om me heen, waardoor ik mijn evenwicht verloor en huilend op de grond viel. Voor mijn ogen had zich afgespeeld wat er werkelijk was gebeurd, zonder dat ik het had willen zien!

Rosa's doodsbenauwde stem riep in mijn geest. *¡Peligro! ¡Peligro!*

„Laat me met rust," smeekte ik. Op dat moment greep iemand me bij mijn schouders en trok me overeind. Ik opende mijn ogen en keek recht in Tony's gezicht.

¡Peligro!

„De moorden!" riep ik, nog half buiten zinnen. „Overal lag bloed. Bloed van Rosa en bloed van Darlene!"

„Sarah! Hou op! Waar heb je het over?" Tony was bleek en keek me geschokt aan.

Ik greep hem bij zijn armen en klemde me aan hem vast. „Tony! Ik heb alles gezien! Ik heb gezien hoe Adam Rosa aanviel. Het is precies zo gegaan als ik al dacht. Iemand heeft hem betrapt. Dat moet Darlene zijn geweest. Ze kon door het raam zien wat er gebeurde en Adam moest ervoor zorgen dat ze het aan niemand kon doorvertellen!"

„Heb je dat gezien?" fluisterde hij. Met grote ogen keek hij me aan. „Hoe is dat mogelijk? Vertel eens! Je was er toch niet bij toen het is gebeurd?"

„Rosa heeft me om hulp gevraagd," probeerde ik hem uit

te leggen. „Ze wilde dat ik het zou zien..." Ik barstte in tranen uit en verborg mijn gezicht in mijn handen.

Tony deed een stap achteruit en ik hoorde hem een vreemd geluid maken.

Opeens werden er een paar armen om me heen geslagen, en ik hoorde mijn moeder vragen: „Wat gebeurt hier? Wat is er met Sarah aan de hand?"

„Ik kan er niets aan doen." Angst klonk door in Tony's stem, terwijl hij zich tot mijn moeder wendde. „Toen ik binnenkwam, vond ik haar zo. Ze... ze zegt dat ze... iets heeft... gezien."

Ik klampte me aan mijn moeder vast. „Ik heb de moorden gezien," zei ik met een snik.

„Moorden?" Mijn moeder klonk ook angstig. „Wie ben jij?" vroeg ze aan Tony. „Wat doe je hier?"

„Ik ben Tony, Anthony Harris," antwoordde hij. „Ik wilde Sarah opzoeken, en toen ik binnenkwam was ze al zo."

„Tony," mompelde mijn moeder en ze herinnerde zich de naam. „Ah, natuurlijk. Sarah heeft ons over je verteld."

„Ik ga maar gauw," bood Tony aan. „Dan heeft u geen last van mij."

„Nee," zei mijn moeder en ze gebaarde naar de kamer. „Ga alsjeblieft even zitten, Tony. Ik wil met jullie alle twee praten."

Ik was blij dat mijn moeder de leiding nam. Ze gaf me een glas water en liet me plaatsnemen op de bank.

Tony zat voorovergebogen en steunde met zijn onderarmen op zijn knieën.

„Het spijt me, Tony," begon ik, maar hij reageerde niet. Hij schudde alleen zijn hoofd. Ik voelde me ellendiger dan ooit.

Toen mijn moeder naast me was gaan zitten, richtte ze zich tot mij en zei: „Ik wil precies weten wat er allemaal is gebeurd. Jij eerst, Sarah. Begin maar bij het begin."

Wat maakte het nu nog uit? Het had geen zin meer alles te verzwijgen. Ik begon met de dag dat we voor het eerst in ons nieuwe huis kwamen, en vertelde mijn moeder en Tony alles wat ik had gehoord en gezien. Alleen mijn gesprek met inspecteur Hardison van die morgen hield ik voor me. Waarom weet ik eigenlijk niet. Misschien omdat dat gesprek me nogal had ontmoedigd en ik me er enigszins voor schaamde dat ik met hem was gaan praten. Toen ik aan het eind van mijn verhaal was gekomen, voelde ik me uitgeput. Ik wilde dat ik me op kon rollen en gaan slapen, maar nu begon mijn moeder Tony te ondervragen.

„En jij, Tony?"

Hij zag zo bleek dat het blauw van zijn ogen scherper afstak dan ooit, en zijn huid spande over zijn knokkels toen hij de leuningen van de stoel vastgreep. „Ik wist van de bezittingen van Rosa af," zei hij. „Sarah had me erover verteld, en ik heb haar gewaarschuwd ze veilig op te bergen."

„Waarom?" wilde mijn moeder weten.

„Ik weet het niet precies. Ik had geen idee wat die spullen te betekenen hadden, maar ik was bang dat ze Adam in de problemen zouden kunnen brengen."

„Op welke manier?"

Hij schudde zijn hoofd. „Dat weet ik niet, maar Adam

heeft al genoeg meegemaakt. Ik wilde niet dat hij werd lastiggevallen door iets onbelangrijks. Ik hoopte dat Sarah haar vondst zou verzwijgen."

„Volgens mij is die zakagenda wel belangrijks," hield ik vol. „Daaruit bleek dat Rosa tot het tijdstip van de moord hier heeft gewoond."

„Weet je zeker dat het een agenda van dat jaar was?" vroeg Tony.

„Ja, heel zeker."

„Waarom heb je hem niet aan mij laten zien?" vroeg mijn moeder. „Je hebt me er zelfs niets over verteld."

„Dat was ik wel van plan, maar ik wilde eerst weten of die agenda iets te betekenen had." Zelfs in mijn eigen oren klonk het vrij zwak. Ik keek Tony aan. „Als je het weet, moet je het me eerlijk zeggen. Heeft Eric de spullen van Rosa gestolen?"

„Waarom vraag je dat aan mij?" was Tony's weerwoord. „Dat moet je aan Eric zelf vragen."

Mijn moeder fronste haar wenkbrauwen. „Heeft er hier iemand gewerkt die Rosa heette, Tony?"

„Ik geloof wel dat ik me een Rosa herinner. Dat heb ik ook al tegen Sarah gezegd. Maar ik kan me niet herinneren wanneer ze hier precies werkte," zei hij.

Mijn moeder keek verbijsterd. „Dus Rosa is geen denkbeeldige persoon in Sarah's fantasie, zoals..." Ze zweeg abrupt.

„Dat zeg ik toch steeds al? Rosa heeft hier echt geleefd en nu heeft ze míj om hulp gevraagd."

Tony keek me achterdochtig aan en zijn stem klonk zo

zacht, dat ik hem nauwelijks verstond. „Praat je met geesten? Ben je een soort heks of zo?"

„Nee!" riep ik. „Rosa heeft me gevraagd haar te helpen, en ik heb beloofd dat te zullen doen. Ik wist niet wat de gevolgen zouden zijn. Nadat ik..." Ik hief wanhopig mijn handen en draaide me naar mijn moeder. „Alsjeblieft, mam. Ik kan er niet over praten. Vertel jij het hem maar."

Mijn moeder legde Tony uit welke nasleep mijn bijna-dood ervaring had gehad. Toen ze klaar was, legde ze haar hand zorgzaam op mijn voorhoofd, waarna ze mijn haren naar achteren streek. „Mijn besluit staat vast. Ik ga onze nieuwe huisarts opbellen om hem te vragen of hij me hier in Houston iemand kan aanbevelen, die je kan helpen. Die hallucinaties kunnen gevaarlijk zijn, Sarah. We moeten zo gauw mogelijk hulp vinden."

Mijn moeder leerde het ook nooit! Het was nu toch duidelijk dat ik niet hallucineerde? Ik was echter te moe om er over te redetwisten. Bovendien trok het idee mijn problemen aan iemand anders over te dragen, me op dat moment wel aan.

¡Ayúdame! Rosa's smeekbede echode na in mijn hoofd. Ik kon het beeld van de slanke vrouw met het verdrietige gezicht niet van me afzetten en met pijn in mijn hart herinnerde ik me mijn belofte.

Mijn moeder stak haar hand uit naar Tony, die opstond en haar formeel de hand schudde. „Het spijt me dat we onder deze omstandigheden met elkaar moesten kennismaken. Ik hoop dat je niet te erg geschrokken bent. Bedankt dat je hebt geprobeerd Sarah te helpen."

144

Ze liep naar de deur en was kennelijk nog bezig het gebeurde voor zichzelf op een rijtje te zetten, want opeens draaide ze zich om. „Toen je bij ons huis arriveerde, was Sarah in de greep van haar hallucinatie. Dat klopt toch?" vroeg ze.

„Ja, inderdaad," antwoordde Tony.

„Hoe ben je dan binnen gekomen?"

Hij aarzelde even. „Door het raam zag ik Sarah op de vloer liggen. Ik probeerde de deur en gelukkig was die niet op slot. Dus ben ik naar binnen gegaan."

„Maar de deur was wel op slot toen ik net thuiskwam," zei mijn moeder. „Ik moest mijn sleutel gebruiken."

„Macht der gewoonte, denk ik." Tony hoefde geen moment over een verklaring na te denken. „Ik heb de deur waarschijnlijk automatisch op slot gedraaid toen ik binnenkwam."

„Ja, zo zal het wel gegaan zijn." Mijn moeder knikte en slaagde erin een glimlach te produceren. „Ik hoop dat je begrijpt dat ik alleen maar probeer me een voorstelling te maken van wat er is gebeurd, Tony."

„Natuurlijk," zei hij, waarna mijn moeder de kamer verliet.

Tijdens hun gesprek had ik geprobeerd me te herinneren wat ik had gedaan toen ik thuiskwam. Nadat ik de deur had geopend, was ik naar binnen gegaan. Ik kon me niet voorstellen dat ik de deur toen niet op slot had gedaan. Macht der gewoonte, zoals Tony had gezegd. De deur op slot draaien, was iets wat ik automatisch deed, zonder erbij na te denken. Kon ik me daarom niet herinneren of ik het deze keer had gedaan?

Tony moest gelijk hebben dat de deur niet op slot was geweest. Hoe was hij anders binnengekomen?

Hoewel... er was natuurlijk een andere mogelijkheid. Ik zag het raam van de logeerkamer voor me. Tony kende Adam. Wist hij van het kapotte slot op het schuifraam in Adams slaapkamer? Mijn vader zou vandaag een nieuw slot kopen en dat vanavond installeren. Tony had door het raam kunnen klimmen, al was het niet de makkelijkste weg om binnen te komen.

Tony liep naar me toe en bleef voor me staan, dus hees ik mezelf overeind. „Blijf toch zitten, Sarah," zei hij, maar ik stond al. „Ik ga nu. Je hebt me niet meer nodig."

„Ik kan het je niet kwalijk nemen dat je weg wilt gaan," mompelde ik. „Het spijt me wat er is gebeurd..." Ik voelde dat ik bloosde en kon mijn zin niet afmaken. Nu Tony me zo overstuur had aangetroffen, was ik er zeker van dat ik hem nooit meer zou zien. Sarah is gek, zou hij zeker denken. Sarah is niet goed wijs. Ik wilde dat ik me kon verstoppen.

Tot mijn verrassing pakte Tony mijn kin en kuste me zacht op mijn lippen. Zijn ogen waren zo blauw, zo prachtig blauw, dat ik het gevoel had dat ik mijn blik er niet van los kon maken. „Ik zal nu weggaan, zodat jij kunt uitrusten," zei hij. „Maar ik kom terug."

„Je vroeg of ik een heks was," fluisterde ik.

„O, Sarah!" Hij sloeg zijn armen om me heen en trok me stevig tegen zich aan. Ik kon het bonzen van zijn hart horen. „Ik wist niet wat ik zei. Je hebt me nogal aan het schrikken gemaakt. Oké?"

„Ja, oké." In zijn armen kon ik alles vergeten. Hij deed een stap achteruit. „Ik zal je gauw bellen," zei hij. „Dat beloof ik."

Mijn moeder kwam de kamer weer in en bracht Tony naar de deur. Ik hoorde alleen het zachte gemurmel van hun stemmen.

Toen ze terugkwam, zei ze: „Ik heb de huisarts gesproken. Hij heeft me de naam van een therapeut gegeven. Volgens hem heeft die man een uitstekende reputatie."

„Heb je de dokter over Rosa verteld? En over de moorden?"

„Nee," antwoordde ze. „Ik heb alleen maar gezegd dat je angstaanjagende hallucinaties hebt gehad."

„Mam, het zijn geen..."

Ze onderbrak me nerveus. „Die therapeut heet dokter Arnold Fulton. Je kunt morgenochtend om tien uur al bij hem terecht, omdat een van zijn patiënten een afspraak heeft afgezegd. Wat een gelukkig toeval, hè?"

„Mam," zei ik, „maak je nu niet zoveel zorgen."

„Zorgen? Liefje, ik ben ontzettend ongerust. Ik begrijp niet waarom jou dit overkomt en ik wil dat er een einde aan komt."

„Misschien komt er een einde aan als ik ontdek wat Rosa van me wil."

Ze trok me tegen zich aan. „Sarah! Hou op. Je doet jezelf alleen maar pijn. Wat hier in huis is gebeurd, is verleden tijd, geloof me nu."

Ik beantwoordde haar omhelzing en zei: „Ik vind het

vervelend dat je je zo ongerust over me maakt."

„Dat weet ik wel." Ze probeerde te glimlachen. „Waarom ga je niet een dutje doen?"

„Ik ben inderdaad ontzettend moe."

Ik voelde hoe ze me nakeek, toen ik langzaam de trap op liep.

Boven aangekomen controleerde ik echter eerst het raam in de logeerkamer. Dat was dicht, dus werd ik daar niets wijzer van. Was het open geweest? Ik pakte een houten kleerhanger uit de kast en klemde die tussen het schuifraam en het bovenkozijn. Had ik daar maar eerder aan gedacht. Het was geen perfecte oplossing, maar het zou wel voldoende zijn, tot mijn vader het slot had gemaakt.

Terwijl ik mijn eigen slaapkamer inliep, speelde er een woord door mijn hoofd: *¡Peligro!* Ik probeerde het uit mijn gedachten te zetten, maar het liet zich niet verjagen. *¡Peligro!* had de vrouw geroepen. Wat betekende dat?

Ik bladerde in het Spaans-Engelse woordenboek en vond het woord al snel. Peligro! 'Gevaar!'

Alsof het een film was geweest, zo helder en duidelijk hadden de moorden zich voor me afgespeeld. Daarna had ik gillend en huilend op de grond gelegen, terwijl ik probeerde te ontsnappen aan de afschuwelijke dingen die ik had gezien en gehoord. Een vrouwenstem had '¡Peligro!' geroepen. 'Gevaar!' Maar op dat moment had ik de moorden al gezien en Tony was er geweest om me te helpen. Het klopte niet. De waarschuwing was op het verkeerde tijdstip gekomen.

Ik wilde er niet langer over nadenken. Mijn hoofd bonkte

en ik snakte naar slaap. Nadat ik het laken had teruggeslagen, schopte ik mijn schoenen uit en klom in bed. Ik rolde me op, en het duurde niet lang of ik voelde mezelf wegdoezelen.

Dokter Arnold Fulton paste precies bij zijn spreekkamer. Hij was een slanke man van middelbare leeftijd met een dikke bos haar en een volle, bruine baard. Het meubilair in zijn kamer was duur, maar onopvallend. Alles was in rustgevende, bruine en beige tinten.

Dat rustgevende straalde dokter Fulton zelf ook uit. Hij bewoog zich langzaam en weloverwogen, en sprak met zachte stem. Mijn moeder moest in de wachtkamer blijven, terwijl hij naar mijn verhaal luisterde.

Ik begon bij de verdrinking en vertelde alles wat daarna was gebeurd, tot en met de afschuwelijke beelden van de vorige dag. Dokter Fulton zat doodstil tegenover me, zijn grijsgroene ogen op de mijne gericht. Gedurende mijn hele relaas bewoog hij zich niet, afgezien van het knipperen van zijn ogen.

Toen ik was uitgesproken, wachtte ik tot hij iets zou zeggen. Hij zweeg echter zo lang, dat ik me ongemakkelijk begon te voelen. „Waarom zegt u niets?" vroeg ik ten slotte.

„Je hebt me een opmerkelijk verhaal verteld. Ik heb even tijd nodig om dat te laten bezinken."

„Mijn ouders maken zich zorgen over me. Daarom ben ik hier. Maar ik ben hoe dan ook van plan om Rosa te helpen. Dat heb ik haar beloofd."

„Hoe kun je Rosa helpen?" vroeg hij.

„Ik... ik weet het nog niet," zei ik. „Maar dat zal ze me wel laten weten." Ik haalde eens diep adem om mijn gêne te verbergen. „Ik weet wel dat het allemaal vreemd klinkt, maar ik geloof in Rosa. Voor mij bestaat ze."

„Geloof je dat het in jullie huis spookt?"

Die vraag bracht me van mijn stuk. „Of het spookt in ons huis? Nee, ik... Waarom vraagt u dat?"

„Je hebt me verteld over stemmen van geesten, geluiden en verschijningen."

Ik bloosde. „Zo heb ik dat helemaal niet bedoeld. Ik had het over één persoon, over Rosa."

„Die je achtervolgt in je dromen?"

„Zoals u het zegt, klinkt het als een griezelfilm."

Hij speelde met zijn potlood en zweeg geruime tijd. Ten slotte zei hij: „Spoken en geesten bestaan niet."

Boos onderbrak ik hem. „Ik heb u net gezegd..."

Nu was het zijn beurt om mij te onderbreken. „Mensen worden niet achtervolgd door bovennatuurlijke wezens, maar door hun eigen innerlijke angsten."

„Rosa Luiz is echt. Ik wist niets over haar voor we in dit huis kwamen wonen. En vergeet die spullen van haar niet, die zijn ook echt."

„Goed, laten we ervan uitgaan dat dat bundeltje echt bestaat. Kun je je voorstellen dat het bestaan daarvan op zich al een voldoende prikkel kan zijn geweest om beelden in je geest op te roepen?"

„Jawel, maar dat is niet zo."

„Sarah, zou jij jezelf beschrijven als een creatieve persoon met veel verbeeldingskracht?"

„Ja, maar..."

„Misschien is het mogelijk dat je eigen angsten door het nieuwe huis en door de vondst van dat bundeltje op deze manier tot uiting komen. Begrijp je wat ik bedoel?"

„Mijn angst voor water? Mijn angst om te verdrinken?"

„Dat zou kunnen," antwoordde hij rustig.

„Maar waarom hoor ik dan iemand om hulp roepen?"

„Wat denk je?"

Ik begreep meteen waar hij naartoe wilde. „U bedoelt dat ikzelf degene ben die om hulp roept?"

Dokter Fulton gaf geen antwoord, maar staarde me afwachtend aan.

„Oké. Maar wat heeft dat te maken met moord?"

„Droom je nog over verdrinken?"

Ik keek hem verbaasd aan. „Nee, eigenlijk niet."

„Wanneer zijn die dromen opgehouden?"

Daar moest ik even over nadenken. „Rond de tijd dat we hier naartoe zijn verhuisd, geloof ik."

„Kan het zijn dat je angsten misschien een andere uitingsvorm hebben aangenomen?"

„Nee... nee, dat denk ik niet. Toen ik over Rosa droomde was dat heel anders. Rosa was echt, begrijpt u?"

Hij stond op en zei: „Sarah, ik wil je graag helpen dit probleem op te lossen. Ik zal eerst even met je moeder praten. Daarna kunnen we een nieuwe afspraak maken. Ben je het daarmee eens?"

„Ja hoor," antwoordde ik, eenvoudigweg omdat ik niets anders wist te zeggen.

Dokter Fulton sprak nog enige tijd met mijn moeder.

Toen we de praktijk verlieten en naar huis reden, maakte ze de indruk een stuk minder bezorgd en veel meer ontspannen te zijn. „Hij lijkt me een aardige, sympathieke man," merkte ze op.

„Hij denkt dat ik het me allemaal verbeeld."

Mijn moeder wierp me een korte, onderzoekende blik toe, voor ze haar ogen weer op de weg richtte. „Dat heeft hij niet gezegd."

„Maar hij denkt het wel. Daar ben ik van overtuigd," zei ik. „Mam, ik heb me niet verbeeld dat ik Rosa zag, dat weet ik zeker!"

„Ach, liefje toch," reageerde mijn moeder, nu weer bezorgd. „Ik vind dokter Fulton erg aardig en ik weet zeker dat hij je kan helpen."

Mijn moeder klonk zo hoopvol, dat ik haar niet wilde ontmoedigen.

„Oké. Dat betekent, denk ik, dat ik er maar beter voor kan zorgen mijn angst voor water te overwinnen," zei ik.

„Goed zo, Sarah." Mijn moeder gaf me een bemoedigend klopje op mijn knie. Zo te zien had ze er alle vertrouwen in.

Ik wilde dat ik dat ook kon zeggen. Natuurlijk wist ik dat ik vroeg of laat weer moest zwemmen, maar het gevoel van het donkere water dat me de adem benam, terwijl mijn longen explodeerden van de pijn, was ik nog altijd niet kwijt.

Het kan me niet schelen wat ze zeggen, dacht ik. Mijn angst om te verdrinken was niet de oorzaak dat ik Rosa had gezien. Ze was echt en had mijn hulp nodig.

HOOFDSTUK 12

We waren nog niet thuis of Tony belde. „Wat heeft de therapeut gezegd?" vroeg hij.

Ik probeerde me er met een grapje af te maken. „Hij denkt dat mijn verbeelding overuren maakt."

Tony lachte niet, zoals ik had verwacht, maar vroeg heel ernstig: „Wat zei hij toen je hem over Rosa vertelde?"

„Dat vond hij helemaal niet belangrijk. Hij was veel meer geïnteresseerd in wat ik me allemaal verbeeld."

„Ga je nog een keer naar hem toe?"

„Ja, dat wil mijn moeder graag."

Het was even stil, toen vroeg Tony: „Als je naar een therapeut gaat, vertel je hem dan alles?"

„Ja, dat is wel de bedoeling."

„Dan vertel je hem dus alles over Rosa en wat je allemaal hebt gezien? Alle details?"

„Ja, dat soort dingen. Daarna helpt hij me de betekenis ervan te begrijpen."

„Wat voor betekenis?"

„Nou, om te beginnen heeft hij vandaag gezegd dat ik achtervolgd word door mijn eigen angsten." Ik voelde me opgelaten en probeerde te lachen, maar veel meer dan een zenuwachtig gepiep kwam er niet uit mijn keel. „Achtervolgd door mijn angst om te verdrinken, mijn angst om ook maar in de buurt van water te komen. Om iedereen tevreden te stellen, moet ik dat probleem eerst aanpakken. Ik begin dus maar eens in het zwembad hier vlakbij."

„Ik heb een beter idee," zei Tony. „Ik weet een leuk, klein

meertje vlak bij jullie huis. Daar heb je geen last van mensen die je aangapen, zoals in een zwembad, omdat het meertje op particulier terrein ligt. Ik ga met je mee het water in, en ik kan heel goed zwemmen. Je hoeft niet dieper te gaan dan tot je enkels, als je dat niet wilt."

„En de eigenaren dan? We kunnen toch niet stiekem hun grondgebied betreden?"

„Maak je geen zorgen," zei hij. „Die wonen in Dallas. Het gebied wordt niet gebruikt. Er staan veel bomen en de omgeving is heel mooi. Zo nu en dan komt er een houtvester langs, maar die heb ik tot nu toe altijd kunnen ontwijken. Er loopt een zandpad doorheen, waar het meertje vlakbij ligt. Heb je zin om met me mee te gaan?"

Ik wilde dat ik niet hoefde te antwoorden. Hoewel ik had gezegd het te willen proberen, zag ik er nu al huizenhoog tegenop. Ik voelde het koude zweet langs mijn ruggengraat lopen en mijn mond was zo droog dat ik geen woord kon uitbrengen.

Tony's stem klonk zo zacht en lief, dat ik huiverde. „Ik wil je graag helpen, Sarah. Wil jíj dat ook?"

„Ja," stamelde ik. In Tony's nabijheid zijn? Mijn hart begon sneller te kloppen. O ja!

„Prima. Over een uurtje ben ik bij je."

„Vandaag nog? Nee, Tony. Ik moet eerst nog even aan het idee wennen." Mijn maag begon pijn te doen en ik duwde er krampachtig tegen met mijn hand.

„Je hebt al maanden aan het idee kunnen wennen," zei hij. „Je wilt je angst voor water aanpakken. Doe dat dan. Je hele leven zal erdoor veranderen, als je jezelf bewijst dat je sterker bent dan je angst."

Hij had natuurlijk gelijk. Uitstel had geen zin. Krampachtig klemde ik de telefoon in mijn hand en slaagde erin te zeggen: „Goed. Over een uurtje sta ik klaar."

Ik legde neer en ging op zoek naar mijn moeder, die in haar slaapkamer een doos vol oude schoenen en gekreukte kleren uitzocht.

„Waarom heb ik dit in vredesnaam bewaard?" vroeg ze zich zuchtend af.

„Mam," flapte ik eruit, „Tony heeft me gevraagd met hem te gaan zwemmen, en ik heb ja gezegd. Over een uurtje komt hij me halen."

Mijn moeder liet de rok die ze in haar handen had op de grond vallen en keek me met open mond aan.

„Iedereen beweert steeds dat mijn problemen worden opgelost, als ik mijn angsten weet te overwinnen. Tony zei dat ik nu de eerste stap moet doen en er niet langer over moet nadenken. Ik geloof dat hij gelijk heeft."

Mijn moeders ogen begonnen te stralen. „Wat een goed idee, Sarah! Zal ik met jullie meegaan naar het zwembad?"

„We gaan niet naar het zwembad, maar naar een klein meertje dat Tony kent. Hij zegt dat het hier in de buurt is."

„Een meer?" Mijn moeder keek bedenkelijk.

„Ja, volgens hem ligt het op particulier terrein. Er zullen niet zoveel mensen rondlopen als in het zwembad. Dat vind ik een stuk prettiger."

„Jij en Tony samen?" Mijn moeder fronste haar wenkbrauwen. „Kan hij goed zwemmen? Goed genoeg?"

„Voor het geval ik weer in de problemen kom, bedoel

je?" Ik probeerde haar gerust te stellen. „Ik ben niet van plan erg ver het water in te gaan, mam. Als ik erin slaag tot mijn knieën door het water te lopen, is dat voor de eerste keer waarschijnlijk al meer dan genoeg."

„Ik weet het niet," zei mijn moeder. „Is het niet verstandiger om naar het zwembad te gaan?"

Ik liet me languit op haar bed vallen. „Weet je wel hoe moeilijk dit voor mij is? Toen Tony vroeg of ik meeging, kreeg ik acuut buikpijn van het idee te gaan zwemmen. Toch heb ik gezegd dat ik het zou doen en nu probeer jij me er weer van af te houden."

„Sarah, dat is het niet," haastte mijn moeder zich te zeggen. „Ik ben juist vreselijk blij dat je het wilt proberen. Maar ik ken Tony nauwelijks. Hoe goed kan hij zwemmen? Kan hij je helpen als het nodig is?"

Ik rolde op mijn zij. „Laat maar," zei ik. „Dan blijf ik wel thuis. Ik had toch al geen zin."

Mijn moeder liet zich naast me op het bed zakken. „Sorry, Sarah, ik pak dit helemaal verkeerd aan. Je moet je eigen beslissingen nemen. Ik ben altijd veel te bezorgd."

Ik pakte haar hand en hield die stevig vast. „Ik begrijp het wel. Voor jou en pap is het ook een moeilijke tijd geweest. Het spijt me dat jullie je de laatste tijd zoveel zorgen over mij hebben gemaakt."

We zwegen beiden. Toen sprong mijn moeder overeind en trok me met zich mee. „Pak maar snel je badpak. Straks staat Tony op de stoep en ben je nog niet klaar."

Ik sloeg even mijn armen om haar heen en rende toen de trap op. Terwijl ik langs de open deur van de logeerkamer liep, wierp ik een blik op het raam. De kleerhanger was verdwenen en in het kozijn glansde een gloednieuw slot. Werk van mijn vader.

De telefoon rinkelde, maar ik liet het aan mijn moeder over die te beantwoorden. Even later riep ze naar boven. „Sarah, het is voor jou. Het is Dee Dee."

„Ik heb nu geen tijd," riep ik terug. „Vertel haar maar dat ik met Tony ga zwemmen in het meertje hier in de buurt, en dat ik haar daarna wel bel."

Ik haalde mijn badpak uit de onderste la, deed mijn kleren uit en trok het badpak aan. Kritisch bekeek ik mezelf vervolgens in de spiegel. Het werd tijd dat ik weer mijn dagelijkse baantjes trok, bedacht ik glimlachend. Het was vast een goed teken dat ik er zo over dacht.

Snel greep ik een shirt en een korte broek om over mijn badpak aan te trekken. Daarna haalde ik een paar badlakens tevoorschijn. Ik was verrast over mijn eigen opwinding. Het idee het water in te moeten, was doodeng, maar ik verheugde me erop Tony weer te zien.

Toen ik de trap afliep, ging de telefoon opnieuw. Mijn moeder verscheen en deelde me mee: „Weer voor jou. Deze keer is het Eric."

Ik trok een gezicht en zei: „Ik wil niet met Eric praten. Nooit meer. En dat kun je hem zeggen ook."

„Ik pieker er niet over," zei mijn moeder. „Ik zal zeggen dat je nu niet aan de telefoon kunt komen."

Toen ze terugkwam, vroeg ik: „Heeft Eric gezegd waarom hij belde?"

„Nee," antwoordde mijn moeder, „maar ik heb hem

moeten beloven dat jij hem zo snel mogelijk zult terugbellen. Het moet wel iets belangrijks zijn geweest, want hij drong nogal aan."

„Dat is dan zijn probleem." Ik wierp een goedkeurende blik op mezelf in de spiegel in de hal. Dat rode T-shirt stond goed bij mijn donkere haar. En ik wilde er mooi uitzien voor Tony.

In de auto op weg naar het meer zei Tony: „Ik hoop dat ik je moeder ervan heb kunnen overtuigen dat ik echt goed kan zwemmen. Volgens mij was ze het liefst met ons meegegaan."

„Alsjeblieft, hè," mompelde ik, bijna te verlegen om mijn gedachten uit te spreken.

„Ik ben ook blij dat ze niet is meegegaan," zei hij met die diepe, zachte stem die me altijd deed huiveren. „Ik ben blij dat ik de kans heb alleen met jou te zijn, Sarah."

Mijn hart maakte een sprongetje door de manier waarop hij mijn naam uitsprak. „Tony, je moet niet boos worden als ik niet met je ga zwemmen, hoor," zei ik. „Ik ben echt doodsbenauwd om het water in te gaan. Je hebt best kans dat ik op het laatste moment de moed laat zakken en dan stel ik jou en mijn moeder teleur."

Hij glimlachte. „Mij stel je niet teleur. Maar ik kan niet voor je moeder spreken. Ik ken haar niet goed genoeg, hoewel ik het gevoel heb dat zij en ik niet hetzelfde denken over bepaalde dingen."

„Wat bedoel je?" vroeg ik verrast.

„Zij is er zeker van dat die therapeut gelijk heeft. Ik niet."

„O nee? Waarom niet?"

„Omdat je alles zo nauwkeurig hebt beschreven, zelfs hoe Rosa er uitzag."

„Herinner je je Rosa dan?" Ik ging wat rechterop zitten.

„Ja, nu wel. Ik geloof je, Sarah. Ik geloof alles wat je hebt gezegd."

„Dank je." Meer wist ik niet te zeggen. Het was onmogelijk Tony te vertellen, hoe blij ik was om dat te horen. Als ik Dinky was geweest, had ik me opgekruld en was ik gaan spinnen.

We reden langs een tankstation en gingen een goede honderd meter daarna van de weg af, een zandpad op. Tony verminderde zijn snelheid omdat het pad nogal hobbelig was. Het voerde ons onder een baldakijn van bladeren door, met aan weerskanten dicht kreupelhout.

„Het stikt hier van de bessen," vertelde Tony. „Ze zijn alleen moeilijk te plukken, en je moet uitkijken voor slangen."

„Slangen? Zijn er ook slangen waar wij heen gaan?"

„Nee, daar zitten geen slangen, maak je geen zorgen. Er is een open plek. Je zult het er vast mooi vinden."

De hoge bomen vormden een schaduwrijk gewelf, dat de intense hitte van de augustus-zon buitensloot. De bosrijke omgeving was rustig en mooi, zoals Tony had gezegd. Ik vond het hier heerlijk.

„Vertel nog eens wat meer over de dingen die je hebt gezien en gehoord," drong Tony aan.

„Ik heb jullie toen alles al verteld."

„Maar heeft Rosa niet gezegd wat haar is overkomen?"

„Ze heeft het me laten zien, in plaats van het te vertellen, misschien wel vanwege de taalbarrière tussen ons. Eigenlijk heeft ze maar een paar woorden tegen me gesproken, en sommige daarvan moest ik opzoeken in het woordenboek, omdat het Spaans was."

„Wat voor woorden?"

„O, 'ayúdame', was het eerste wat ze tegen me zei. Dat betekent 'help me'. Daarna vroeg ze me: 'Probeer het te vinden', en gisteren schreeuwde ze: 'Gevaar'!"

„Gisteren? Terwijl ze je liet zien hoe de moord op haar is gepleegd?"

„Nee, daarna. Het was allemaal heel verwarrend, de tranen, het geschreeuw en het bloed, en opeens was jij er, en hebt me geholpen."

De auto wiebelde hevig toen we wegzakten in een karrenspoor, waardoor Tony even al zijn aandacht nodig had bij het sturen. Toen het pad weer vlakker werd, vroeg hij: „Is Rosa daarna nog verschenen?"

„Nee."

„Maar als je zou willen, zou je haar kunnen oproepen, omdat je een soort medium bent, hè?"

„Nee," ontkende ik. Ik staarde Tony aan, maar hij keek voor zich uit en had zijn blik op het smalle, kronkelige pad gevestigd. „Ik ben geen medium," hield ik vol. „Ik heb geen enkele controle over dit alles. Het enige wat ik me kan indenken, is dat ik een schakel ben met een andere wereld en dat Rosa daar gebruik van maakt."

„Waarom?"

„Ik weet het niet zeker."

160

„Volgens mij wil ze dat jij bewijst dat ze is vermoord door Adam."

„Hoe kan ik dat nou doen, als bijna niemand gelooft dat Rosa zelfs maar heeft bestaan? Alleen jij, ik, en Dee Dee misschien. Niemand anders gelooft me, dus hoe kan ik zoiets dan bewijzen?"

Hij stopte de auto en keerde zich naar me toe. „Jou kennende, Sarah, weet ik zeker dat je wel een manier vindt."

„Tony, ik besef dat jij en Adam vrienden zijn, maar..."

Tony reageerde niet, maar stapte uit, liep voor de auto langs en opende het portier aan mijn kant. „Kom," zei hij, en hij pakte mijn hand.

„Waar is het meer?" vroeg ik nieuwsgierig.

„Vlak achter dat groepje bomen daar. Zie je dat paadje? Dat moeten we volgen."

Hij hield mijn hand stevig vast en liep voor me uit.

Struikelend volgde ik hem. Uit het kreupelhout steeg de vochtige, zure stank van rottende bladeren op. Een lage tak streek langs mijn wang. Ik bukte me, terwijl ik Tony toeriep: „Niet zo snel!"

„Sorry," zei hij en hij sloeg een arm om mijn schouder. „Kijk, het pad wordt hier breder. We zijn er bijna."

Even later bereikten we een beschutte, open plek met een halvemaanvormig strand. Het grijsgroene, glinsterende water kabbelde rustig tegen het zand, en een eindje verderop dobberden een paar eenden als kleine speelgoedbootjes in het zonlicht. Het geheel zag er vredig uit.

Tony deed een stap opzij en ik merkte dat hij me bestudeerde. Juist toen ik hem wilde vragen waarom hij dat deed, begon ik te beven en een afschuwelijke kilte maakte zich meester van mijn lichaam. Ik voelde een steek van pijn in mijn borst en mijn hart bonsde zo snel, dat ik er duizelig van werd. Een gigantisch web van verschrikking hield me in een verstikkende greep en ik had het gevoel dat ik niet meer kon ontsnappen.

Vol afgrijzen sloeg ik mijn handen voor mijn ogen en schreeuwde het uit. „Tony! Wat is dit voor plek? Wat is hier aan de hand?" Mijn benen dreigden het te begeven.

Hij tilde me op en droeg me over de open plek, naar het strand. Daar brandde het zonlicht langzaam het web van angst weg.

„Ik... ik kan nu wel weer staan," stamelde ik.

Hij zette me neer, deed een stap achteruit en keek me onderzoekend aan. „Je zag het weer, hè? Iets bovennatuurlijks," vroeg hij. „Wat gebeurde er? Wat zag je?"

„Niets," antwoordde ik. „Maar ik voelde wel iets. Het was afgrijselijk."

„Wat was het?" Hij greep mijn arm zo stevig vast, dat het zeer deed en ik probeerde me los te trekken.

„Laat me los! Je doet me pijn!"

Tony liet zijn handen zakken en ik wreef over mijn arm. „Ik heb je toch gezegd dat ik niets heb gezien of gehoord. Er was alleen een gevoel." Een traan gleed langs mijn wang. Toen ik die wegveegde met de rug van mijn hand, voelde ik dat mijn hele gezicht nat was. Ik had niet eens gemerkt dat ik had gehuild.

„Het spijt me, Sarah," zei Tony. Hij zuchtte. „Het spijt me allemaal."

162

„Waarom heb je me hier mee naartoe genomen?"

Hij keek verrast en gekwetst. „Omdat ik het hier heerlijk vind. Deze plek betekent veel voor me en dat wilde ik met je delen, omdat jij ook veel voor me betekent."

Dat antwoord had ik niet verwacht. Het bracht me in verwarring. „Kunnen we nu alsjeblieft naar huis gaan?" drong ik bij hem aan.

„Naar huis?" Tony glimlachte geruststellend. „We zijn allebei geschrokken door wat er net met je is gebeurd. Oké? Maar het gevoel dat je had, is nu toch verdwenen? We moeten de rest van de dag er niet door laten verknoeien."

„Ik geloof niet dat ik nu nog de moed heb om te gaan zwemmen."

„Dat hoeft ook niet. Doe je schoenen uit en de kleren die je over je badpak aan hebt, en ga lekker aan de waterkant zitten kijken als ik aan het zwemmen ben. En als je er wat voor voelt, kun je een eindje door het water lopen en je voeten nat maken." Hij trok zijn shirt uit, en de jeans die hij over zijn zwembroek droeg. Toen ik aarzelde, zei hij: „Doe het dan om mij een plezier te doen, Sarah."

De blik in zijn blauwe ogen straalde kracht uit.

„Oké, om jou een plezier te doen," herhaalde ik zijn woorden en schopte mijn sandalen uit. Daarna liet ik de handdoeken op de grond vallen en gooide mijn T-shirt en mijn broek er bovenop.

„Je bent mooi, Sarah," zei Tony, „en lief. Volgens mij heb je nog nooit tegen het kwade hoeven vechten. Ik geloof dat je het niet eens zou herkennen."

„Wat... wat bedoel je?"

„Het is maar goed dat je er nooit achterkomt," reageerde hij geheimzinnig.

„Tony? Je maakt me bang. Heb je het over Adam?"

„Je moet niet proberen over Adam te oordelen. Je zou hem nooit kunnen begrijpen."

Zijn woorden maakten me nerveus en ik zei: „Ga nu maar zwemmen, Tony, dan blijf ik hier kijken."

Hij deed echter een stap in mijn richting, zodat onze lichamen elkaar raakten, nam me in zijn armen en kuste me. Op deze manier was ik nog nooit gekust. En nog nooit had ik zo gereageerd als ik nu op hem reageerde, met een vurigheid die mezelf verraste.

De kus werd niet onderbroken, ik wilde dat hij eeuwig zou duren. Toen tilde Tony me op en droeg me in zijn armen.

Het was moeilijk de betovering te verbreken, maar iets waarschuwde me en ik maakte mijn lippen los van de zijne. Tony liep het water in.

„Breng me terug!" schreeuwde ik.

„Nee, Sarah," was zijn reactie.

„Je hebt beloofd dat ik niet het water in hoefde. Tony! Zet me neer! Breng me terug!" Ik probeerde me los te maken uit zijn greep en stompte hem op zijn borst, maar Tony was veel sterker dan ik. Hij greep mijn vrije arm bij de pols en liep gewoon door.

Het was alsof een zwarte wolk van doodsangst op me neerdaalde, waardoor ik niets meer zag en bijna geen adem kon krijgen. „Help!" gilde ik in paniek.

HOOFDSTUK 13

Achter ons klonken zware rennende voetstappen en een mannenstem riep: „Hé, jullie! Kom uit het water!"

Tony draaide zich verbaasd om en ik kronkelde in zijn armen in de richting van de stem. Op de oever stond een gezette man in jeans en een verschoten shirt met zweetvlekken. „Wegwezen jullie! Dit is particulier terrein! Ga maar ergens anders zwemmen!"

Tony wierp me snel een blik toe.

Ik bleef zwijgen en voelde hoe de spanning in zijn armen enigszins afnam.

„Oké," riep hij naar de man. „We komen al." Hij droeg me naar de oever en zette me neer.

Rood van schaamte trok ik onder de toeziende blik van de man mijn kleren aan over mijn badpak en stak mijn voeten in de sandalen.

„Het is maar goed dat ik jullie op tijd zag," mopperde de man. Zijn ergste boosheid was verdwenen. „Dat meer is niet geschikt om in te zwemmen. Zo op het oog ziet het er prima uit, maar onder het oppervlak is het een wirwar van waterplanten. Bovendien heb ik hier de laatste zomers een behoorlijk aantal gifslangen gezien."

Tony deed het laatste knoopje van zijn shirt dicht en glimlachte naar de houtvester. „Ik heb hier wel vaker gezwommen," zei hij. „Ik had er geen idee van dat het meer zo gevaarlijk was."

„Nou, dan weet je dat nu. Zorg dat je hier niet meer komt," waarschuwde de man. „Heb je dat begrepen?"

Voor hem uit liepen we snel naar Tony's auto. De gruwelen van de open plek probeerden me opnieuw te verstrikken, maar kregen geen kans omdat Tony me haast meesleurde.

Toen we bij de auto kwamen, mompelde ik tegen Tony: „Ik loop wel naar huis."

„Stel je niet aan," zei hij kortaf en hij opende het portier. „Stap in," beval hij.

„Schiet op," zei de houtvester tegen mij. „Ik heb niet de hele dag de tijd."

„Ik haat je!" snauwde ik tegen Tony, terwijl ik in de auto stapte en zover mogelijk in het hoekje van mijn stoel ging zitten. Ik haatte hem inderdaad, omdat hij tegen me had gelogen en omdat hij mijn vertrouwen had beschaamd. En toch... Toen ik naar hem keek terwijl hij voor de auto langs liep, wist ik dat als hij me opnieuw zou kussen, ik weer even vurig zou reageren. Waarom had hij zoveel macht over me?

Tony zweeg tot we het bos uit waren en de weg waren opgedraaid. Op een neutrale, haast nonchalante toon zei hij: „Ik ben blij dat die houtvester op dat moment verscheen."

„Jíj bent blij?! Vast niet zo blij als ik! Je hebt tegen me gelogen, terwijl ik je vertrouwde. Wat een stomme streek om te proberen me met geweld het water in te krijgen! Zoiets helpt toch niet! Dat maakt het alleen maar erger!"

Hij wierp een scherpe, onderzoekende blik in mijn richting, maar ik was nog niet uitgeraasd. „Het zou mijn dood hebben betekend. Dezelfde, afschuwelijk dood die ik al eens heb meegemaakt. Het gevoel dat ik in waterplanten verstrengeld raakte! Dat gevoel ben ik nooit kwijtgeraakt. En dan mijn longen. Ik voel nog..." Ik drukte mijn handen tegen mijn borstkas om de pijn weg te duwen. „We hadden allebei wel dood kunnen zijn!"

Aangekomen bij ons huis, stopte Tony op het tuinpad, draaide het sleuteltje om en staarde naar zijn handen. „Ik heb een fout gemaakt," zei hij zacht.

„Dat je tegen me hebt gelogen, is het ergste. Ik kan je nooit meer vertrouwen."

„Dat kan ik me voorstellen."

Hij keek zo terneergeslagen, dat ik de neiging had me wat toegeeflijker op te stellen. Zijn blik gleed omhoog tot hij in mijn ogen keek. Ik voelde hoe ik werd aangetrokken door de duizelingwekkende diepte van die heldere blauwe ogen. Voordat ik zou bezwijken voor de verleiding, gooide ik het portier open, sprong uit de auto en liep snel naar de voordeur.

Hij riep me niets na, ook niet dat hij weer langs zou komen. Ik wilde dat hij dat zou doen. Nee, dat wilde ik niet. Terwijl ik de sleutel in het slot stak, hoorde ik zijn auto wegrijden, maar ik draaide me niet om.

Mijn moeder hoorde me binnenkomen. Ze was in de keuken bezig en kwam meteen de hal inlopen. „Hoe ging het zwemmen?"

Nog voor dat ik daar antwoord op kon geven, ging ze verder: „Sarah, Eric heeft weer gebeld en leek nogal opgewonden en ongerust dat je was vertrokken zonder hem terug te bellen. Hij heeft niet gezegd waarvoor hij je moest hebben, dus misschien kun je hem beter even terugbellen, om..." Ze stond nu vlak voor me en brak haar woordenstroom abrupt af. „Je hebt gehuild. Wat is er aan de hand?"

„We hebben ruzie gehad," antwoordde ik kortaf. Ik had geen zin te praten over wat er bij het meer was gebeurd. Bovendien zou het mijn moeder alleen maar van streek maken.

Ze knikte en leek mijn stemming aan te voelen. Ik zag dat haar oog op de droge handdoeken viel. „Je bent het water niet in gegaan?"

„Nee, deze keer niet," zei ik. „Ik denk dat je gelijk had. Het is verstandiger om in het zwembad te beginnen." Om verdere discussie te voorkomen, voegde ik er snel aan toe: „Ik ga naar boven om te douchen."

Het warme water spoelde de restanten van mijn woede weg. Ik trok schone kleren aan en liet me voorover op mijn bed vallen. Misschien kon ik nog een dutje doen voor het avondeten. Er was tijd genoeg. Het was aangenaam koel in mijn kamer en de sprei waarop ik lag, voelde zacht aan. Langzaam dreef ik tot het randje van inslapen.

La fotografía. Het woord dwarrelde mijn hoofd binnen en eiste mijn aandacht op. Alle kans op rust was verkeken.

Kreunend rolde ik op mijn rug en ging rechtop zitten. *Rosa, er was helemaal geen foto. No fotografía. De agenda, de brief over je oom, het geld en natuurlijk de hanger. Dat was alles.*

De lucht streek opgewonden langs mijn wang. *¡La fotografía!*

Het drong tot me door, dat Rosa misschien een foto van iemand anders bedoelde. „Een foto van wie?" vroeg ik

168

hardop, verbaasd dat de gedachte bij me was opgekomen. „Adam?"

De lucht kwam tot kalmte. Ik had haar het antwoord gegeven dat ze wilde.

In de krant had ik een foto van Adam gezien, die gemaakt was in de gang van het politiebureau, en zijn schoolfoto. Allebei waren ze niet erg duidelijk. Waar zou ik andere foto's van hem kunnen vinden?

Zou Eric misschien foto's hebben waar Adam op stond? Nee, ik was niet van plan Eric iets te vragen.

Opeens schoot door me heen wie er foto's van Adam Holt had: inspecteur Hardison. Hij zou zeker de officiële politiefoto's in zijn dossier hebben. Misschien zou hij me die wel laten zien, als ik erom vroeg.

Hij zou natuurlijk wel willen weten waarom ik die foto's wilde zien. Welke reden kon ik hem dan geven? Ik wist niet waarom Rosa wilde dat ik naar een foto van Adam zou kijken. In mijn hoofd probeerde ik het beeld van Rosa op te roepen en contact met haar te maken. *Kun je me zeggen waarom?* vroeg ik haar.

Er kwam geen antwoord.

Na het avondeten kwam Dee Dee langs. „Oké, vertel me alles. Welk meer was het? Hoe ver ben je erin gegaan? Was je bang? Kon je het aan? Ik had het beter gevonden als je in het zwembad was begonnen, dan had ik bij je in de buurt kunnen blijven. Ik kan goed zwemmen, maar als je..."

„Dee Dee," onderbrak ik haar, „ik ben niet in het water geweest. Ik ben weer terug bij af."

Even was het stil, tot Dee Dee, opgewekt als altijd, zei: „O, zo moet je het niet bekijken. Het bewijst alleen maar dat ik gelijk had. Het is veel gemakkelijker een zwembad in te gaan dan een meer. Zodra je eraan toe bent, proberen we het opnieuw."

„Bedankt. Je bent een echte vriendin," zei ik opgelucht. Een vriendin kon ik nu goed gebruiken.

„Heb je plannen voor morgenochtend? Ik heb je al twee dagen niet meer gesproken. Vertel me eerst eens wat over die Tony. Vind je hem leuk? Is-ie knap?"

„We hebben ruzie gehad. Misschien zie ik hem wel nooit meer."

„Oeps! Sorry! Ik weer met mijn grote mond. Nou, zullen we morgenochtend samen de stad in gaan? Ik heb morgen tot twee uur vrij."

„Goed idee," zei ik. „Maar eerst moet ik nog bij iemand langs."

„O, bij wie?"

Typisch Dee Dee om zo'n directe vraag te stellen. Ik stond op het punt er een beetje omheen te draaien, maar bedacht toen dat Dee Dee me misschien kon helpen.

„Iemand die misschien foto's heeft van Adam Holt. Heb jij foto's van hem?"

„Nee zeg, alsjeblieft! Daar heb ik geen enkele behoefte aan." Ze liet haar stem dalen. „Sarah, waarom zet je die moord niet uit je hoofd? Het heeft geen enkele zin erover te blijven piekeren."

„Dat doe ik ook niet," zei ik. „Ik wil alleen een foto van hem zien."

„Waarom?"

„Dat weet ik zelf eigenlijk niet. Vertrouw me nu maar, oké? En, Dee Dee, vertel het aan niemand."

„Aan geen mens," bezwoer ze me. „Ik kan heus wel een geheim bewaren, tenminste, als me verteld wordt dat iets een geheim is. Ik bedoel, ik heb Eric verteld dat je met Tony in een meer ging zwemmen, omdat je moeder niet heeft gezegd dat ik er niet over mocht praten. Zeg, waar ligt dat meer trouwens?"

„Hier in de buurt," zei ik. „Ik wil er niet eens meer aan denken, dus laten we erover ophouden."

„Waar wil je die foto's van Adam gaan bekijken?" vroeg ze. „Dan ga ik met je mee."

Iets in me waarschuwde me op mijn hoede te zijn. „Dat ben ik nog aan het uitzoeken," zei ik. „En als je wilt, mag je met me mee. Ik bel je nog wel hoe laat we gaan." Het was niet mijn bedoeling misbruik van Dee Dee te maken, maar ik wilde haar graag aan inspecteur Hardison voorstellen. Dan kon ze hem vertellen dat zij het bundeltje met Rosa's bezittingen ook had gezien, zodat hij zou weten dat ik het niet had verzonnen.

Inspecteur Hardison was bereid me de volgende ochtend om negen uur te ontvangen. Ik belde Dee Dee op en zei: „Ik heb een afspraak gemaakt voor morgenochtend."

„Hoe laat?"

Weer dat waarschuwende stemmetje. Niemand hoefde te weten wat ik allemaal van plan was. „Je kunt me tegen een uur of negen verwachten," zei ik daarom vaag.

De volgende ochtend stond ik echter om acht uur al bij Dee Dee op de stoep, met de sleutels van mijn moeders auto in de hand.

Dee Dee was nog niet aangekleed en deed net haar ochtendgymnastiek. „Wat ik ook doe, ik raak geen pondje kwijt," klaagde ze.

„Ga je aankleden," zei ik. „We moeten om negen uur in de stad zijn."

„Je zou me toch om negen uur pas ophalen? Waar gaan we heen?"

„Dat vertel ik je onderweg wel."

„Waarom doe je zo geheimzinnig?" vroeg ze.

Mevrouw Pritchard kwam de kamer in en keek me met een vreemde uitdrukking op haar gezicht aan. „Goedemorgen, Sarah," begroette ze me.

„Goedemorgen," antwoordde ik.

Het was duidelijk dat haar iets dwarszat. Lang hoefde ik me niet af te vragen wat dat was, omdat ze meteen met de deur in huis viel. „Waarom heb jij foto's van Adam Holt nodig?"

„Ik wil weten hoe hij er uitziet," zei ik.

„Er zullen toch wel foto's van Adam in het archief van de krant te vinden zijn?" merkte ze op.

„Jawel, en die heb ik ook al gezien, maar ze waren erg onduidelijk."

Ze was nog steeds achterdochtig. „Je ouders hebben er toch niets mee te maken, wel? Ik hoop dat ze begrijpen dat de verkoop van het huis volkomen legaal en volgens de regels was."

„Mijn ouders hebben hier niets mee te maken, mevrouw Pritchard," zei ik zo overtuigend mogelijk. „Mijn ouders zijn altijd volkomen eerlijk en open."

Ze keek enigszins beschaamd, evenals Dee Dee en wist duidelijk niet meer wat ze moest zeggen.

„Veel plezier, jullie twee," groette ze haastig, waarna ze even in onze richting wuifde en de kamer uitzeilde.

Ik keek Dee Dee recht in haar ogen. „Daarom doe ik dus zo geheimzinnig."

„Maar met ouders is het anders," legde Dee Dee uit. „Ze verwachten dat je ze alles vertelt."

„Schiet nou maar op en kleed je aan," zei ik. „We hadden eigenlijk allang weg moeten zijn."

Ik stelde Dee Dee voor aan inspecteur Hardison, waarna hij ons voorging naar een van de verhoorkamers. Hij ging tegenover ons aan tafel zitten.

„Dat bundeltje met bezittingen van Rosa Luiz, waarover ik u vertelde," stak ik meteen van wal, „dat heeft Dee Dee ook gezien."

„Ja," vertelde Dee Dee hem. „Ik heb die brief over Rosa's oom vertaald."

„Ik wilde u bewijzen dat ik het niet had verzonnen," verduidelijkte ik.

„Ik had geen enkele reden je niet te geloven," zei inspecteur Hardison met een oprechte uitdrukking op zijn gezicht.

„Ondervraagt u hier misdadigers?" wilde Dee Dee weten, terwijl ze nieuwsgierig om zich heen keek in het kleine, vierkante vertrek.

„Dat klopt. Maar het is ook een geschikte plek om met advocaten te praten, of met ouders van jongelui die we hebben gearresteerd. Of zoals met jullie." Hij wendde zich tot mij. „Ik heb Adam Holts persoonsgegevens uit het dossier gehaald. Vertel me nu eens waarom je die wilt zien."

Ik kon hem niet alles vertellen, en ik wist niet precies hoe ik moest beginnen. Om zijn reactie te peilen, zei ik: „Ik heb wel eens gelezen dat paranormaal begaafde mensen de politie helpen bij het oplossen van misdaden. Gelooft u in hulp van... nou ja, vanuit een andere wereld?"

Hij trok een wenkbrauw op. „Daar kan ik geen ja en geen nee op antwoorden. Ik heb enkele opmerkelijke resultaten gezien, heel opmerkelijk zelfs, zonder dat er ooit een wetenschappelijke verklaring voor is gevonden. Als we aan een zaak werken, trekken we bijna alle aanwijzingen na die we binnenkrijgen, en daarbij hoort ook de informatie die we van paranormaal begaafde mensen krijgen."

Dee Dee staarde me met open mond aan.

„Ik vraag u alleen maar me te vertrouwen," zei ik tegen inspecteur Hardison. „Hoewel ik absoluut niet paranormaal begaafd ben, heb ik heel sterk het gevoel dat ik scherpere foto's van Adam Holt moet zien, dan de foto's die in de krant stonden. Als ik de foto's zie, begrijp ik misschien waarom."

Hij trok een la open en haalde er een fotokopie van een officieel identiteitsformulier uit. Bovenaan prijkten twee scherpe zwart-wit foto's van het gezicht van Adam Holt. De ene was van voren genomen, de ander van opzij. Onder de foto's stond een volledige persoonsbeschrijving.

Dee Dee leunde over mijn schouder om de beschrijving te lezen, terwijl ik de foto's bestudeerde. Ik zag een bleke, mollige jongen met haar dat net zo licht was als zijn huid. Op de foto waarop hij recht in de camera keek, waren zijn grote ogen goed te zien. Er was iets met die ogen in dat onbekende gezicht...

Mijn ogen gleden naar de beschrijving. Lengte... gewicht... kleur van de ogen... blauw!

„Heeft u een potlood voor me?" vroeg ik aan inspecteur Hardison. „Ik wil zijn haar graag donker kleuren."

Hij reikte weer in de la en gaf me een doos kleurpotloden. „Wat dacht je hiervan?"

„Prima," antwoordde ik. Ik pakte een donkerbruin potlood en bracht wat schaduw aan op de wangen om het gezicht wat smaller te maken. Toen kleurde ik de haren donkerbruin, en ten slotte voegde ik nog een snor aan het geheel toe.

„Hij lijkt op... op..." Ik kleurde de ogen op de fotokopie blauw, en wist het zeker. Opeens wist ik het antwoord op al mijn vragen over Adam en werd alles wazig voor mijn ogen. „Heeft u misschien een glas water voor me?" fluisterde ik.

„Natuurlijk." Terwijl de inspecteur de kamer uitliep om water te halen, trok Dee Dee het vel papier onder mijn hand vandaan en las verder. „Deze beschrijving is helemaal compleet, tot en met de moedervlek op Adams pols."

„Tony," mompelde ik.

„Nee, Adam." Haar stem klonk verbaasd.

„Tony ìs Adam."

Inspecteur Hardison kwam terug met een glas water en dankbaar nam ik een paar flinke slokken. „Gaat het?" vroeg hij bezorgd.

„Ja, dank u wel," zei ik, maar mijn aandacht was op Dee Dee gericht. „Heb je Eric verteld dat wij naar foto's van Adam gingen kijken?"

„Ik?" piepte ze. Maar toen ik haar aan bleef kijken, liet ze berustend haar schouders zakken. „Ik was het niet van plan," zei ze. „Het ging vanzelf. En het was ook niet echt een geheim. Ik heb hem niet verteld waar we naartoe zouden gaan of zo, omdat ik dat zelf niet wist."

Ik sprong op van mijn stoel. „Inspecteur," zei ik, „Adam Holt doet zich nu voor als Anthony Harris. Kijk maar, zo ziet hij er nu uit." Ik schoof de fotokopie in zijn richting. „En volgens mij heeft Tony, Adam, gisteren geprobeerd me te vermoorden. Het zou hem ook gelukt zijn, als niet iemand dat had verhinderd."

De tranen sprongen in mijn ogen en ik moest een paar maal slikken, voor ik door kon gaan. „We moeten van Eric te weten zien te komen waar Tony nu is. Als Eric hem heeft verteld dat ik op zoek ben naar foto's van Adam, zal Tony waarschijnlijk proberen uit Houston te vertrekken en onder te duiken."

„Alleen omdat jij misschien zijn nieuwe identiteit zou gaan onthullen?" vroeg inspecteur Hardison. „Daarom hoeft hij toch niet te vluchten?"

„Nee, maar ik heb hem verteld dat ik op de hoogte ben van de tweede moord..."

Inspecteur Hardison keek me bevreemd aan, en vervolgde toen: „Daarnet zei je dat Adam Holt heeft geprobeerd je te vermoorden."

„Ja, dat klopt."

„Dat is een zeer serieuze en ernstige beschuldiging," ging Hardison verder, terwijl hij mij scherp aankeek.

Overtuigd van mezelf bleef ik terugkijken.

Hardison sloeg als eerste zijn ogen neer en fronste zijn wenkbrauwen. „Als je gelijk hebt, moeten we rekening houden met de mogelijkheid dat hij het opnieuw zal proberen."

Het was alsof ik een stomp in mijn maag kreeg. „Als hij naar ons huis gaat, ben ik er niet, maar mijn moeder wel! Stel je voor dat hij haar iets aandoet!"

„Ik zal haar opbellen," zei hij snel.

„Zeg haar dat ze naar de buren, de Pritchards, moet gaan en daar moet blijven."

Ik liep achter hem aan naar zijn kantoor, met Dee Dee op mijn hielen. Het was duidelijk dat ze vol vragen zat, maar voor één keer wist ze haar mond te houden.

Inspecteur Hardisons uitleg aan mijn moeder was kort, maar duidelijk. Mijn moeder vertelde hem dat Tony er niet was en beloofde meteen het huis te verlaten.

„Ze maakte zich zorgen om jou," zei hij even later tegen mij. „Ik heb mijn best gedaan haar ervan te overtuigen dat jij in veiligheid bent."

Van Dee Dee kreeg hij Erics telefoonnummer, maar toen Hardison belde, werd er niet opgenomen.

In de auto van de inspecteur op weg naar huis, deed ik

mijn verhaal. Ik liet niets achterwege.

Dee Dee zat op de achterbank en zat voortdurend opgewonden geluiden te maken, terwijl ik vertelde. Ze zou het de hele buurt, de hele wereld vertellen, maar dat kon me nu niets meer schelen.

„U heeft me die DNA-test uitgelegd," zei ik tegen inspecteur Hardison. „Als Rosa's DNA overeenkomt met het bloedmonster van het type A dat u in de hal heeft gevonden, is dat dan voldoende bewijs?"

„Het zou sterk bewijs zijn, maar wat we nodig hebben, is het moordwapen, of een ooggetuige."

„Ik geloof dat we misschien wel een ooggetuige hebben," zei ik. „Afgezien van de familie Holt was er nog iemand die wist dat Rosa daar woonde. Ze heet Lupita en ze woont bij onze buren..."

„Dat zijn wij dus," onderbrak Dee Dee me.

„...bij de familie Pritchard."

Dee Dee keek me ongelovig aan. „Lupita weet toch niet wat er met Rosa is gebeurd? Ze had het erover dat Rosa het land was uitgezet, over de immigratiedienst."

Ik draaide me om in mijn stoel en keek Dee Dee aan. „Lupita is natuurlijk bang, omdat zíj niet het land uitgezet wil worden."

Toen we onze straat indraaiden, was er geen spoor van Tony's auto te zien.

Inspecteur Hardison parkeerde zijn auto op het tuinpad van de familie Pritchard, vlak bij het huis. Daarna vroeg hij via de radio om versterking, zodat ons huis in de gaten kon worden gehouden.

Dee Dee steunde met haar armen op de rugleuningen van de voorstoelen en keek geïnteresseerd toe. „Ik heb nog nooit in een politiewagen gezeten," zei ze. „Hoe werkt die radio?"

„Je hoeft alleen maar deze knop in te drukken." Hij gaf een korte demonstratie, en zei toen: „Kom, laten we naar binnen gaan, zodat mevrouw Darnell zich ervan kan overtuigen dat jullie beiden in veiligheid zijn."

Dee Dee wipte als eerste uit de auto en ging ons voor het huis in.

Mijn moeder, die Dinky op haar arm had, stortte zich op mij en omhelsde me zo stevig, dat ik bijna geen adem meer kon krijgen, en Dinky een luid protest liet horen. „Sarah! Wat is er allemaal aan de hand?" wilde mijn moeder weten.

„Tony is in werkelijkheid Adam Holt," legde ik uit, terwijl ik me uit haar armen losmaakte, zodat ik weer kon ademen.

Dee Dee kwam op dat moment de kamer in. Ze voerde Lupita aan haar hand met zich mee.

Lupita's ogen waren groot van angst en ze beefde over haar hele lichaam. „Immigratie?" fluisterde ze tegen inspecteur Hardison. Ze wankelde op haar benen en zag eruit alsof ze ieder moment kon flauwvallen.

„Nee," probeerde hij haar gerust te stellen. Met zijn hand ondersteunde hij haar en liet haar plaatsnemen in een stoel in de woonkamer van de familie Pritchard.

Daarna ging hij tegenover haar zitten. „Spreek je Engels?" vroeg hij.

„Un poco," zei ze. „Een klein beetje," verbeterde ze zichzelf meteen.

„Ik laat je niet het land uitzetten," zei hij. „Begrijp je dat?"

Ze knikte, maar ze bleef angstig kijken.

Hardison vervolgde: „Het is zelfs zo dat de officier van justitie erop zal toezien dat je het land níet wordt uitgezet, als je als getuige moet optreden."

Het was duidelijk dat Lupita dit niet allemaal kon volgen, dus probeerde Dee Dee het voor haar te vertalen. Ze eindigde met de woorden: „Inspecteur Hardison is rechercheur van politie."

Lupita greep in paniek de leuningen van de stoel vast. „¡Policia! No!" schreeuwde ze.

„Alsjeblieft, Lupita," zei Dee Dee. „Als je iets hebt gezien bij het huis van de familie Holt, vertel het ons dan."

„Het is voorbij," was alles wat Lupita zei, waarna ze haar lippen stevig op elkaar klemde tot een smalle lijn.

„Ze is nog steeds bang," mompelde mijn moeder.

Ik ging op mijn knieën voor Lupita zitten en nam haar handen in de mijne. „Rosa is bij me gekomen," vertelde ik. „Ze heeft me eerst laten zien hoe ze er uitzag. Daarna heeft ze me laten zien hoe ze is doodgestoken. En ze heeft me zelfs laten weten waar haar lichaam is begraven."

Gelukkig verstond Lupita wat ik zei. Ze hapte naar lucht. „Hoe kan dat?"

„In visioenen, in dromen," legde ik uit.

Lupita trok met een ruk haar handen los en deinsde terug.

„Je hoeft niet bang voor me te zijn," zei ik. „Rosa heeft mij uitgekozen om haar te helpen. En nu heeft ze jouw hulp ook nodig, zodat ze rust kan vinden."

Lupita begon te huilen en vroeg: „Wat wil Rosa van mij?"

„Ze wil alleen maar dat je de waarheid vertelt. Alsjeblieft. Vertel de inspecteur wat je over Rosa weet en wat je hebt gezien op de dag dat ze werd vermoord."

Lupita haalde een zakdoekje uit haar zak en streek langs haar ogen. Met onvaste stem, bijna fluisterend, vertelde ze ons, half in het Spaans en half in het Engels, dat ze Rosa had gekend. Overdag als de Pritchards en de Holts naar hun werk waren, dronken ze soms samen een kop thee of chocolademelk.

Rosa was bang geweest voor Adam Holt. Hij deed soms vreemd en had slechte dingen tegen haar gezegd. Lupita boog haar hoofd en zei dat ze die hier niet kon herhalen.

Inspecteur Hardison drong aan dat ze dat toch zou doen. Jammerend vertelde Lupita dat Adam Rosa voortdurend achterna zat. Hij liet haar geen moment met rust. Rosa was wanhopig geweest. Ze wilde niet toegeven, maar ze was afhankelijk van de Holts. Uiteindelijk had ze de familie Holt willen verlaten, maar ze had geen familie en er was niemand die zich om haar bekommerde, dus kon ze nergens heen.

„Weet je wat er met Rosa is gebeurd?" vroeg inspecteur Hardison.

„En la tarde, eh... middag, ik ga naar buiten. Ik eh... vegen..." Ze kwam er niet meer uit.

Dee Dee schoot haar te hulp. „Was je de veranda aan het

181

vegen?" vroeg ze aan Lupita.

„Ja, maar ik niet vegen. Ik zie Adam Holt. Ik me verstoppen."

„Wat deed Adam Holt?" wilde inspecteur Hardison weten.

„Hij rijdt weg met pizza-auto. Ik ga in huis. Later ik kijk uit raam en zie hem teruglopen naar huis."

„Had je lawaai gehoord in het huis van de familie Holt?"

„Nee. La radio..." Ze zweeg en zocht naar woorden.

Dee Dee kwam ertussen. „Lupita luistert tijdens het werk graag naar muziek op de radio, luide muziek."

„Oké," zei de inspecteur tegen Lupita. „Je had de radio aan en hebt niets gehoord." Toen ze heftig knikte, vervolgde hij: „Heb je gezien dat Adam Holt zijn eigen huis is binnengegaan?"

„Sí. Maar hij komt weer buiten. Con dos... hij brengt twee grote zakken uit zijn huis."

„Grote zakken? Vuilniszakken?" vroeg Dee Dee.

Lupita knikte. „Muy zware zakken, moeilijk tillen. Een voor een." Ze gebaarde met haar handen en zei: „Hij legt ze in zijn auto, in eh... achter."

„Ze bedoelt de kofferbak," legde Dee Dee uit.

„Si... Adam rijdt..." Ze maakte haar zin niet af, maar gaf met haar handen de richting aan.

„Hoe laat was dat?" vroeg inspecteur Hardison.

„Dos o dos y quarto, twee uur ongeveer."

„Had je enig idee wat er gaande was?"

Dee Dee vertaalde zijn woorden, en Lupita schudde haar hoofd.

182

„Maar later wel, hè?"

Lupita knikte.

„Wat deed je toen Adam was weggereden?"

Lupita vertelde moeizaam verder. „Ik ga naar huis. Kijk door raam. Ik op deur bonzen en op bel drukken, maar Rosa no es, Rosa niet komen. Ik weet, Rosa is er niet. Ik kon niet naar binnen, dus ik gaan."

Ik leunde naar voren. „Lupita! Toen je over de moord op Darlene Garland hoorde, herinnerde je je die twee zakken, hè? Toen wist je dat Rosa ook was vermoord, is het niet?"

Lupita liet zich achterover vallen in de stoel en barstte in huilen uit, terwijl ze luid jammerde. Ik ving het woord la policía op, maar het was Dee Dee die uiteindelijk begreep wat er aan de hand was.

„Ze gelooft dat ze grote problemen met de politie krijgt, omdat ze heeft verzwegen wat ze heeft gezien. Ze is bang dat ze naar de gevangenis moet."

Hardison boog zich voorover en klopte Lupita op haar arm, terwijl hij naar haar glimlachte. „Niemand zal je kwaad doen," beloofde hij. „Je bent een waardevolle getuige. Omdat jij Adam Holt op de plaats van het misdrijf hebt gezien, kunnen we de zaak tegen hem rond krijgen."

Hij pleegde een paar telefoontjes en vertelde ons dat er al een rechercheur bezig was Adams ouders te zoeken en dat een ander meteen achter Adam aan zou gaan.

„Kan ik met u mee terugrijden naar het bureau, om mijn moeders auto op te halen?" vroeg ik aan inspecteur Hardison. Ik wilde er niet bij zijn als Tony, Adam, kwam en gearresteerd zou worden.

„Natuurlijk," zei de inspecteur. „Dan kun je meteen een officiële verklaring afleggen."

„Ik ga met je mee," stelde mijn moeder voor. „Dan hoef je niet alleen terug te rijden."

„Goed, dan zal ik Dinky even buiten zetten. Die redt zichzelf wel."

Hardison keek Lupita aan. „Señora, u moet ook mee naar het bureau. Voor een officiële verklaring."

Lupita barstte opnieuw los in een angstige huilbui. Mijn moeder en Dee Dee probeerden haar te kalmeren.

„Ik blijf bij je!" riep Dee Dee, maar Lupita maakte zoveel misbaar, dat ze het niet eens hoorde.

Ik had genoeg aan mezelf en besloot Dee Dee maar even met Lupita alleen te laten. „Ik wacht in de auto op jullie," riep ik door het gehuil van Lupita heen.

Zodra ik buiten kwam, worstelde Dinky zich los en ging er als een bliksemschicht vandoor, in de richting van ons huis. Ik liep naar het tuinpad en ging op de passagiersplaats van inspecteur Hardisons auto zitten. Langzaam liet ik me onderuitzakken en probeerde me, met mijn hoofd tegen de rugleuning, te ontspannen.

Opeens hoorde ik de klik van een portier. Voor ik me om kon draaien om te zien wie daar was, greep een hand me bij mijn schouder. Een stem achter me fluisterde: „Blijf stil zitten, Sarah, en geen kik! Ik heb een mes."

HOOFDSTUK 14

„Tony!" Ik snakte naar adem en mijn hart bonsde zo luid dat ik ervan overtuigd was, dat hij het kon horen.

„Ik ga je niet vermoorden," zei hij. „Maar jij moet me helpen hier weg te komen."

Zo te horen, zat hij achter de stoel op de grond gedoken. Hij kon dus niet zien wat ik deed. Voorzichtig tastten mijn vingers naar de knop van de politieradio. Ik schakelde hem in.

„Tony!" zei ik nogmaals luid. „We kunnen nergens heen, want inspecteur Hardison heeft de autosleutels bij zich."

„Dat weet ik," antwoordde Adam en hij waarschuwde me door zo hard in mijn schouder te knijpen dat het pijn deed. „Praat niet zo hard!"

Ik wist niet of de microfoon sterk genoeg was om op te pikken wat we zeiden. En ik was er zelfs niet zeker van of de radio onze woorden doorgaf. Ik kon het alleen maar hopen.

„Je zei dat je een mes hebt," ging ik door. „Wat heeft dat voor zin? Zodra de inspecteur bij zijn auto komt, treft hij jou hier aan. En hij heeft een pistool."

Adam grinnikte zacht. „Als hij het huis uit komt, roep je naar hem dat ik hier zit en dat hij de autosleutels naar je toe moet gooien. Daarna rij je weg. Hij zal zijn pistool heus niet gebruiken, omdat hij niet het risico kan lopen dat hij jou raakt. Bovendien weet hij niet of ik mijn mes zal gebruiken."

In de achteruitkijkspiegel zag ik de twee agenten uit de

surveillancewagen die bij ons huis geparkeerd stond, voorzichtig, met getrokken pistolen, dichterbij komen. Vanuit mijn ooghoek ving ik een glimp op van inspecteur Hardison, terwijl hij zich behoedzaam voortbewoog over de veranda.

Toen Adam weer sprak, klonk zijn stem zo zacht en diep, dat ik huiverde, omdat hij nog steeds een betoverende uitwerking op mij had. „Sarah," zei hij, „probeer geen slimme plannetjes te verzinnen. Je 'geesten' kunnen je nu niet helpen."

„Ik kan mezelf wel redden," deelde ik hem zo kalm mogelijk mee.

Misschien klonk er te veel zelfvertrouwen uit die woorden. Iets alarmeerde Adam en hij kwam een klein stukje omhoog uit zijn schuilplaats. Juist genoeg om de drie politiemensen te zien naderen. Er was een schittering van zonlicht op metaal, toen hij met een snelle beweging zijn mes naast mijn gezicht bracht. Geschrokken deinsde ik terug.

„Zo is het genoeg geweest," gromde hij. „Draai langzaam het raampje open en zeg tegen die inspecteur van je dat hij zijn sleutels in de auto moet gooien."

„Geef het nu maar op, Adam," zei ik, „want ik doe toch niet wat jij wilt."

„Als je niet doet wat ik zeg, vermoord ik je," snauwde hij.

„Je vermoordt me zeker als ik met je wegrijd. Hier zijn mijn kansen aanzienlijk beter. Kijk maar naar die politiemensen. Ze hebben hun pistolen op jou gericht. Als je me nu vermoordt, word je onmiddellijk opgepakt... of doodge-schoten. En deze keer zijn er getuigen."

„Getuigen," mompelde hij.

Ik kon hem bijna horen denken.

Opeens maakte hij een snelle beweging en ik zette me schrap, terwijl ik mijn uiterste best deed het niet uit te gillen.

De druk op mijn schouder verdween echter en het mes viel op de zitting naast me. Ik draaide me om en zag nog net hoe Adam zijn handen omhoogstak, voor de politie de auto bestormde. Ik werd door de ene deur naar buiten getrokken, Adam door de andere. In mijn eentje stond ik op het tuinpad toe te kijken hoe Adam naar de politiewagen werd afgevoerd. Zijn handen waren geboeid achter zijn rug, maar hij hield zijn hoofd omhoog. Er lag zelfs een lichte glimlach op zijn gezicht. En hoewel ik hem haatte om wat hij had gedaan, herinnerde ik me ook zijn kus, met een verlangen dat me deed huiveren.

„Waarom fascineert hij me zo?"

Ik was me er niet van bewust dat ik de woorden hardop had gezegd, tot inspecteur Hardison, die naast me was komen staan, mijn vraag beantwoordde. „Het kwade is dikwijls fascinerend."

„Waarom?" De tranen stonden in mijn ogen.

„Anders zou het niet bestaan."

„Sarah!" Mijn moeder kwam het huis van de familie Pritchard uit rennen en ik holde naar haar toe. Op dit moment wilde ik niet meer aan Tony denken. Als een klein kind stortte ik me in mijn moeders armen.

's Avonds, toen we na het eten weer over de gebeurtenissen van de afgelopen dagen spraken, schoot er een gedachte, een beeld, door mijn hoofd.

„Rosa wil graag in gewijde grond worden begraven," zei ik tegen mijn ouders. „Kunnen we dat voor haar regelen?"

Mijn moeder keek me bijna wanhopig aan. „Heeft ze je dat verteld? Heb je haar weer gezien?"

„Nee," zei ik, „maar ik weet gewoon dat ze dat graag zou willen."

„We zullen voor Rosa doen, wat jij vindt dat we voor haar moeten doen," stelde mijn vader me gerust. „Dat arme meisje. Ze had niemand."

„Ze had mij."

Mijn moeder klopte me op mijn arm. „Als je met dokter Fulton gaat praten..."

Ik onderbrak haar echter. „Zeg hem maar af. Het is nu allemaal voorbij, mam. Mijn contact met een andere wereld, mijn visioenen. Ik weet het zeker. Ik heb dokter Fulton niet meer nodig."

„Toch denk ik..." protesteerde mijn moeder, maar ze zweeg abrupt toen mijn vader haar arm even aanraakte.

Ik liep naar het raam, trok het gordijn opzij en keek naar de heldere lichtbundels die de straatlantaarns door de toenemende duisternis wierpen.

Even verscheen er, op een golf van verdriet, een caleidoscoop van gezichten in mijn hoofd: dat van Rosa, van Tony, van Marcie en van Andy. Gezichten uit het verleden.

Ik haalde eens diep adem. Ze waren nu deel geworden

van het verleden, en daar hoorden ze thuis.

Ik draaide me om en liep de lichte, warme kamer in, en glimlachte tegen mijn ouders. „Tot straks," zei ik. „Ik ga nog even bij Dee Dee langs."

In de verhoren die volgden, bekende Adam Holt de dubbele moord. Vlak bij het meer waar Adam met Sarah wilde gaan zwemmen, werden de lichamen gevonden van Rosa... en Darlene Garland, evenals het moordwapen, een keukenmes dat aan de familie Holt had toebehoord.

OVER DE AUTEUR

Joan Lowery Nixon is geboren in Los Angeles, Amerika. Ze studeerde journalistiek aan de Universiteit van Zuid-Californië. Joan Lowery Nixon is getrouwd en woont met haar man in Houston in de staat Texas. Ze hebben samen vier kinderen en dertien kleinkinderen. Ook hebben ze een hond en die heet Maggie.

Al van jongs af wist Joan Lowery Nixon dat ze schrijfster wilde worden. Voor ze zelf kon lezen of schrijven bedacht ze 'gedichten'. Ze vroeg dan aan haar moeder of die ze voor haar op wilde schrijven.

Inmiddels heeft Joan Lowery Nixon al meer dan honderd boeken op haar naam staan. Voor een aantal van deze boeken ontving ze de Edgar Allen Poe-prijs. Deze prijs geeft de vereniging van misdaadschrijvers in Amerika aan het boek dat zij de beste misdaadroman voor de jeugd vinden. Ze schrijft voornamelijk misdaadromans voor de oudere jeugd en wordt in Amerika ook wel de 'Grand Dame' van de misdaadverhalen genoemd.

Een vraag die vaak aan haar gesteld wordt, is waar ze haar ideeën vandaan haalt. Ze antwoordt dat ze veel om zich heen kijkt en alles observeert. Telkens vraagt ze zich af of iets geschikt zou zijn om een leuk verhaal van te maken.

Een misdaadverhaal van Joan begint meestal met een idee, waarna ze zich probeert voor te stellen hoe zoiets zou zijn. Bijvoorbeeld: Hoe zou het zijn om in een huis te wonen waar een moord is gepleegd? Langzamerhand neemt het antwoord vorm aan in haar gedachten.

Daarna verdiept ze zich in de hoofdpersoon en probeert het verhaal door zijn of haar ogen te zien. Voor ze één woord heeft geschreven, weet ze vaak dan ook al precies hoe het verhaal af gaat lopen.

Met haar boeken wil ze jongeren laten zien dat hun leeftijdgenoten vaak met verschillende problemen geconfronteerd worden, maar dat ze door hun moed, verbeeldingskracht en andere kwaliteiten die problemen aankunnen. Ze wil haar lezers aantonen dat ze over dezelfde kwaliteiten beschikken.

Joan Lowery Nixon geeft als tip aan iedereen die zelf wil gaan schrijven dat ze veel moeten lezen. Lezen is haar grootste hobby. Daarnaast reist ze graag en brengt ze veel tijd door met haar kleinkinderen.

Een ander spannend boek van Joan Lowery Nixon is: *Van iedereen verlaten*. Dit deel is verschenen als thrillerpocket.